Rembrandt

Rembrandt

Inhalt

Hinweis

Diese Reihe stellt das Leben und die Werke der Künstler im kulturellen, sozialen und politischen Kontext ihrer Zeit vor. Um dem Leser die Benutzung zu erleichtern, ist jeder Band in drei Themenbereiche unterteilt, die anhand der seitlichen Streifen unterschiedlicher Farbe schnell zu finden sind. Die gelb markierten Seiten sind Leben und Werk des Künstlers gewidmet, Blau steht für die Behandlung des historischen und kulturellen Hintergrunds und Rosa für die eingehende Betrachtung der Hauptwerke des Künstlers. Jede Doppelseite vertieft ein bestimmtes Thema mit einem einführenden Text und verschiedenen kommentierten Illustrationen. So kann der Leser selbst entscheiden, ob er alle Kapitel der Reihe nach lesen oder lieber einzelne Bereiche herausgreifen möchte. Das Buch wird vervollständigt durch ein Verzeichnis der Orte, an denen die abgebildeten Werke des Künstlers zu finden sind, und ein Verzeichnis mit kurzen Erläuterungen zu den wichtigsten im Text genannten Personen.

■ Seite 2: Rembrandt, *Selbstbildnis,* Ausschnitt, 1658, New York, Frick Collection.

1606–1627

Der Maler aus der Mühle: Rembrandts Lehrjahre in Leiden

1627–1632

Der Beginn einer großen Karriere

1632–1642

1642–1657

1658–1669

Die goldenen Jahre

Der unaufhaltsame Abstieg

Ein einsamer Mann
und die Malerei

Anhang

Rembrandt, *Der Maler vor der Staffelei*, Ausschnitt, um 1628, Boston, Museum of Fine Arts

Der Maler aus der Mühle:
Rembrandts Lehrjahre in Leiden

1606–1627

Die Niederlande – eine neue Nation entsteht

Am Ende eines langen und verlustreichen Krieges gegen Spanien erlangen die sieben Provinzen der nördlichen Niederlande endlich ihre Unabhängigkeit. Unter der Führung Wilhelms von Oranien sagen sie sich als Republik der Vereinigten Niederlande von den Südprovinzen, dem späteren Belgien, los. Die Landschaft ist geprägt von weiten Ebenen, Windmühlen und Kanälen zur Regulierung der ständig wechselnden Wasserstände. Unablässig muß dieses kleine Land dem Meer trotzen. Dennoch entwickelt es sich in nur wenigen Jahren zu einer der wichtigsten Wirtschaftsmächte Europas. Wie kommt es, daß aus diesen nördlichen Provinzen binnen kürzester Zeit eine eigenständige niederländische Nation entsteht? Die Bekämpfung des Analphabetismus sorgt für die Verbreitung der niederländischen Sprache. Ein tolerant praktizierter Kalvinismus grenzt weder die katholische noch die jüdische Minderheit aus. Es entwickelt sich ein glanzvolles gesellschaftliches Leben. Die Familie erlangt einen hohen Stellenwert, und es verbreitet sich ein nicht gekannter Wohlstand, der für alle erreichbar scheint. Holland kann als erste moderne, auf Geldwirtschaft gegründete Demokratie betrachtet werden.

■ *Der Wäscheschrank* von Pieter de Hooch (oben) und *Die fröhliche Familie* von Jan Steen (unten), beide um 1660, Amsterdam, Rijksmuseum. Die Gemälde zeugen von den Gegensätzlichkeiten Hollands im »Goldenen Zeitalter«: einerseits der von Ordnung und Reinlichkeit geprägte Alltag, andererseits das ausschweifende Gelage im Familienkreis.

◤ Volkstümliche Allegorie, zweite Hälfte des 16. Jahrhunderts. Die satirische Darstellung zeigt Philipp II. von Spanien auf der »holländischen Kuh« reitend.

▶ Gerard Houckgeest, *Das Grabmal von Wilhelm dem Schweiger in Delft*, 1651, Den Haag, Mauritshuis. Wilhelm von Oranien, »der Schweiger«, gilt als Begründer des modernen Holland. Der Held des Freiheitskampfes gegen die Spanier fiel 1584 einem Attentat zum Opfer. Ihm zu Ehren errichtete man ein Grabmal in der Nieuwe Kerk in Delft.

Tulpenmanie

Ambrosius Bosschaerts Gemälde (um 1618, Den Haag, Mauritshuis) zeigt Tulpen in unterschiedlichsten Formen und Farben. Die Ende des 16. Jahrhunderts aus Indien eingeführte Blume findet in den Niederlanden großen Anklang. Um die kostbaren Zwiebeln entwickelt sich ein florierender Markt. Die begehrten Tulpen finden schnell Verbreitung und werden bald zum Gegenstand einer gigantischen Spekulation. Der Zusammenbruch des Tulpenmarktes 1638 hat fatale Folgen: Er ruiniert unzählige Kleinsparer und führt letztlich zu einer Finanzkrise des ganzen Staates.

Eine Handwerkerfamilie »vom Rhein«

Am 15. Juli 1606 wird am Weddesteeg, einer Straße an der Leidener Stadtmauer, das achte von neun Kindern eines Müllers geboren, der als Besitzer einer Windmühle am Rhein den Namenszusatz »van Rijn« (vom Rhein) führt. Die ursprünglich katholische Familie ist zum Kalvinismus konvertiert. Vater Harmen und Mutter Cornelia wählen für ihr Kind den eher seltenen Namen Rembrandt. Vielleicht hatten sie sich eine Tochter gewünscht, die sie nach der Großmutter mütterlicherseits Remigia genannt hätten. Bei der Geburt des Kindes ist das nicht mehr ganz junge Ehepaar bereits 17 Jahre verheiratet. Wie seinerzeit üblich, folgt dem Vornamen des Kindes der Name des Vaters, Harmenszoon (Sohn des Harmen), und als Nachname der Zusatz van Rijn. Das mag nach adeliger Herkunft klingen, doch der Maler stammt aus einer Handwerkerfamilie, was auch die Berufe seiner Brüder beweisen: Der älteste Sohn tritt in die Fußstapfen des Vaters und wird Müller, ein anderer erlernt das Bäckerhandwerk wie sein Großvater mütterlicherseits und ein dritter wird Schuster. Wenngleich nicht blaublütig, ist die Familie doch wohlhabend, so daß sie den kleinen Rembrandt auf die Lateinschule in Leiden schicken kann.

☑ Rembrandt, *Bildnis der Mutter,* um 1628, Radierung. Bei Rembrandts Geburt waren die Eltern bereits in fortgeschrittenem Alter, weshalb sie dem Maler so betagt und würdevoll wie biblische Gestalten erschienen.

☑ Rembrandt, *Landschaft mit Mühle,* Ausschnitt, um 1650, Wien, Graphische Sammlung Albertina. Rembrandt stellte die Mühle seines Vaters in einigen Zeichnungen dar.

◤ Rembrandt, *Bild-
nis des Vaters*, 1630,
aquarellierte Zeichnung,
Oxford, Ashmolean
Museum. Das einzige
Bildnis, das mit Sicher-
heit Rembrandts Vater
darstellt. In den Werken
des Künstlers findet
sich dieses Gesicht je-
doch des öfteren.

HARMAN. GERRITS.

▼ Barocker Stadtplan
von Leiden. Der 1660
gedruckte Kupferstich
von Pieter Bast zeigt die
befestigte Altstadt mit
ihren charakteristischen
Rheinkanälen. Links
unten im Schutz der
Stadtmauer ist die Müh-
le der Familie Rem-
brandts zu erkennen.
Sein Geburtshaus stand
in unmittelbarer Nähe.

▶ Diese Zeichnung aus
dem 17. Jahrhundert,
die sich im Historischen
Archiv in Leiden be-
findet, zeigt die Latein-
schule der Stadt, in der
Rembrandt eine höhe-
re Schulbildung erhielt.
Wenn man den Maler
auch nicht als Intel-
lektuellen bezeichnen
kann, so verfügte er
doch über eine gewisse
klassische Bildung und
hatte große Achtung vor
dem gedruckten Wort.

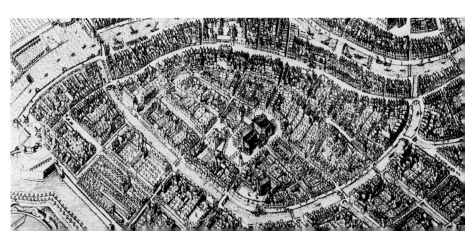

1606–1627

Die »Feinmalerei« in Leiden

☑ Rembrandt, *Der alte Tobias und seine Frau*, 1626, Amsterdam, Rijksmuseum. Schon das Jugendwerk zeigt großes Können und eigenwillige Interpretationen biblischer Themen.

I m »Goldenen Zeitalter« ist Leiden eine der Metropolen Hollands. Die Niederländer fühlen sich diesem Ort in besonderer Weise verbunden, fand hier doch 1574 die schreckliche Belagerung durch die Spanier statt, der sie mit Bravour widerstanden. Leiden ist von Kanälen durchzogen, die einer der Mündungsarme des Rheins, der Alte Rhein, speist. Zu Beginn des 17. Jahrhunderts leben etwa 40 000 Einwohner in der von einer starken Ringmauer umgebenen Stadt, in der neben der Windmühle van Rijns noch weitere Mühlen ihre Flügel kreisen lassen. Zu Wohlstand und Reichtum kommt Leiden in erster Linie durch die Textilmanufakturen und eine rege Handelstätigkeit. Eigentliche Bedeutung allerdings erlangt die Stadt vor allem als kulturelle Hochburg. Sie verfügt über eine ausgezeichnete Universität; Kunst und humanistische Bildung haben Tradition. Im 16. Jahrhundert entsteht hier eine Malerschule – sicherlich die bedeutendste in Holland. Ihr wichtigster Vertreter ist Lucas van Leyden, wie Rembrandt ein großartiger Maler und ausgezeichneter Stecher, der sich vor allem den traditionellen religiösen Themen widmet und den selbst Dürer bewundert. Über ein Jahrhundert lang orientieren sich Leidens Maler und Kunstsammler an diesem Künstler. Auf ihn geht die sogenannte »Feinmalerei« zurück – der Stil, in dem auch der junge Rembrandt malt.

➤ Rembrandt, *David mit dem Haupt Goliaths vor Saul*, 1625, Basel, Kunstmuseum. Rembrandts Hinwendung zu weniger bekannten Bibelstellen und seine Freude an vielfigurigen narrativen Szenen erinnern an die altmeisterliche Tradition, wie sie Lucas van Leyden in seinen Kupferstichen geprägt hat.

◥ Lucas van Leyden, *Anbetung der Könige*, Ausschnitt, 1513, Kupferstich. Die Graphiken Lucas van Leydens waren in ganz Europa verbreitet. Auch Rembrandt besaß eine Sammlung seiner Drucke.

◪ Jacob Isaacsz. van Swanenburgh, *Äneas in der Unterwelt*, Leiden, Stedelijk Museum De Lakenhal. Der erste Lehrer Rembrandts war ein der Tradition Boschs verpflichteter Vertreter der Leidener Schule, der sich neben der Malerei auch dem Kunsthandwerk, der Fertigung von Wandteppichen und der Glasmalerei widmete. Bei ihm erlernte Rembrandt die Grundlagen der Bildenden Künste und hatte die Gelegenheit, Meisterwerke italienischer Maler zu studieren. Das Land selbst hat er, soweit bekannt, jedoch nie bereist.

Lucas van Leyden

Der wichtigste Vertreter der Leidener Schule kommt um 1490 zur Welt. Sehr früh wendet er sich der Kupferstecherkunst zu, in der er bei der Darstellung religiöser Themen Motive aus dem Alltagsleben einarbeitet. Damit nimmt er spätere Entwicklungen in der niederländischen Kunst vorweg. Die Werke des jungen Malers zeichnen sich durch verblüffende Detailtreue aus. 1521 hat Lucas van Leyden auch im Ausland Berühmtheit erlangt. Denkwürdig bleibt sein Zusammentreffen mit Dürer zu einer Zeit, als die Renaissance nördlich der Alpen ihren Höhepunkt erreicht. Lucas van Leyden stirbt 1533.

◥ Lucas van Leyden, *Anbetung des goldenen Kalbs,* Mittelteil eines Triptychons, um 1530, Amsterdam, Rijksmuseum. In diesem Spätwerk griff van Leyden Elemente des Manierismus auf, wie sie gleichzeitig auch in Italien zu finden waren.

Fruchtbarer Boden für einen jungen Maler

In den zwanziger Jahren des 17. Jahrhunderts steht die europäische Malerei ganz im Zeichen der revolutionären Malweise Caravaggios. Durch diagonal einfallendes, gebündeltes Licht und kontrastreiches Helldunkel verleiht er der bildlichen Darstellung eine neuartige Dramatik und Unmittelbarkeit. Die neue Strömung setzt sich deutlich von den bestehenden Stilen römischer, venezianischer und florentinischer Prägung ab. Auch die niederländische Kunst kann sich dem italienischen Einfluß nicht entziehen. Da der Kunstmarkt in Holland jedoch bürgerlich geprägt ist, verläuft die Entwicklung in eine etwas andere Richtung. Neben der großformatigen Historienmalerei nach italienischem Vorbild, die der Antwerpener Schule nahesteht und von Rubens geprägt ist, existiert auch das von den Niederländern sehr geschätzte mittlere oder kleine Format. Die kalvinistische Glaubenshaltung und die Präsenz einer starken jüdischen Gemeinde führen ferner dazu, daß man sich stärker mit biblischen Themen befaßt.

◩ Jan Lievens, *Pilatus wäscht seine Hände in Unschuld*, um 1625, Leiden, Stedelijk Museum De Lakenhal. Die ersten Werke von Lievens, einem Jugendfreund und Kollegen Rembrandts, lassen eine bemerkenswerte kompositorische Sicherheit und Kenntnis der italienischen Kunst erkennen, die der Maler durch die Utrechter Caravaggisten erworben hatte.

◩ Rembrandt, *Steinigung des Heiligen Stephanus*, 1625, Lyon, Musée des Beaux-Arts. Diese datierte und mit »R f« (Rembrandt fecit) signierte mittelgroße Tafel ist das erste dem Maler mit Sicherheit zuzuschreibende Werk aus der Leidener Zeit. Für die Komposition war wohl noch ein Vorbild aus der Werkstatt des Pieter Lastman ausschlaggebend, die hochdramatische Gebärdensprache und kontrastreiche Lichtregie künden jedoch bereits von Rembrandts eigenem Stil.

> ⊳ Rembrandt, *Selbstbildnis*, um 1628, Amsterdam, Rijksmuseum. Rembrandts vermutlich erstes Selbstbildnis besticht durch die originelle technische Ausführung. Um die Lichtreflexe im Haar zu erzielen, bearbeitete der Künstler die Oberfläche des Bildes mit dem Pinselstiel. Wegen der zahlreichen Kopien läßt sich die genaue Anzahl der Selbstbildnisse Rembrandts nur schwer feststellen.

☑ Hendrick Terbrugghen, *König David spielt die Harfe*, um 1625, Warschau, Muzeum Narodowe.

Die Utrechter Schule

Utrecht präsentiert sich Anfang des 17. Jahrhunderts als Kunsthauptstadt der Vereinigten Niederlande. Im kalvinistischen Holland ist Utrecht größtenteils katholisch geblieben. Als Hauptvertreter der an Caravaggio orientierten Utrechter Schule gilt Gerrit van Honthorst, der wegen seiner Vorliebe für nächtliche Szenen in Italien den Beinamen »Gherardo delle Notti« erhält. Von Bedeutung sind auch Hendrick Terbrugghen und Gerard Terborch, die die stilistischen Errungenschaften Caravaggios auf die Genremalerei – die Darstellung alltäglicher Dinge – übertragen.

Gleichnis vom törichten Reichen

Das kleinformatige Jugendwerk, signiert und datiert 1627, befindet sich in den Staatlichen Museen von Berlin. Der alte Mann, der beim Schein einer Kerze ein Geldstück prüft, ist Gegenstand verschiedenster Deutungen geworden.

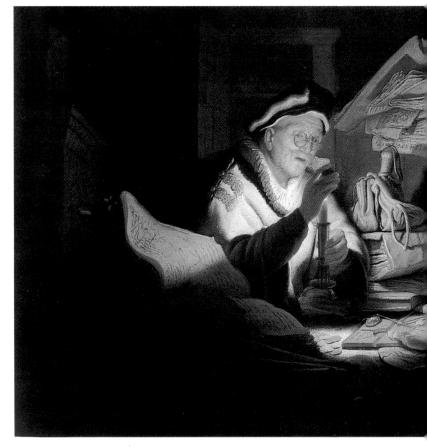

➤ Caravaggio, *Die Berufung des Heiligen Matthäus,* Ausschnitt, 1600, Rom, San Luigi dei Francesi. Dieses Gemälde gilt als einer der wichtigsten Vorläufer für die realistische Darstellung biblischer Themen.

◣ Rembrandt, *Petrus und Paulus im Gespräch,* um 1628, Melbourne, National Gallery of Victoria. Rembrandt verlegt das Gespräch der beiden Apostel in ein Studierzimmer und dramatisiert die Szenerie durch eine caravaggesk anmutende Lichtführung.

◥ Hendrick Terbrugghen, *Die Berufung des Heiligen Matthäus,* Ausschnitt, um 1620, Le Havre, Musée des Beaux-Arts. Der bedeutendste Vertreter der Utrechter Schule machte in Holland die Malweise Caravaggios bekannt. Vergleicht man diese Darstellung mit Rembrandts »törichtem Reichen«, läßt sich letzteres Bild durchaus als biblisches Motiv deuten.

◣ Gerrit van Honthorst, *Christus vor dem Hohepriester,* um 1617, London, National Gallery. Kerzenlichtszenen waren im frühen 17. Jahrhundert äußerst beliebt. Die Werke von »Gherardo delle Notti«, wie der holländische Maler in Italien genannt wurde, sind Musterbeispiele für Darstellungen dieser Art. Auch Rembrandt eignete sich diese Technik an und entwickelte daraus seine einzigartige Helldunkel-Malerei.

1606–1627

Meister Pieter Lastman und Italien

Die Lehrzeit Rembrandts geht 1624 mit einem sechsmonatigen »Praktikum« bei dem Maler Pieter Lastman in Amsterdam zu Ende. Lastman gilt als angesehener Künstler von unumstrittenen Können. Er hat durchaus das Format, einen nachhaltigen Einfluß auf seinen begabten Schüler auszuüben. 1610 aus Italien zurückgekehrt, orientiert sich Lastman erklärtermaßen an den international bekannten Meistern, die in der ersten Hälfte des 17. Jahrhunderts die römische Szene beherrschen. Er gilt als klassischer Historienmaler religiöser und mythologischer Thematik. Sein heute eher konventionell und überladen wirkender Stil begeistert die Amsterdamer Kunstverständigen. Rembrandt studiert eingehend die Malerei seines Lehrers und kopiert mit viel Geduld Bildinhalte und Kompositionen. Von Lastman übernimmt er die Sicherheit der Strichführung und die Darstellung kraftvoller und weitläufiger Szenen. Rembrandts Werke weisen jedoch zusätzlich eine Dynamik und Innerlichkeit auf, die den Bildern Lastmans letztendlich fehlen.

▼ Pieter Lastman, *Bileam und die Eselin*, 1622, New York, Privatsammlung. Die Beziehung zwischen Rembrandt und Lastman wird deutlich, wenn man das Gemälde des viel älteren Meisters mit der Version seines Schülers vergleicht. Das im Mittelpunkt stehende Geschehen – der Prophet, der die Eselin schlägt – ist in beiden Bildern beinahe identisch. Lastman taucht die Szene in das Licht einer italienischen Landschaft und postiert den Engel eher abseits. Bei Rembrandt hingegen greift der Himmelsbote direkt ein, so daß die Komposition an Dramatik gewinnt.

◤ Rembrandt, *Der Prophet Bileam und die Eselin*, 1626, Paris, Musée Cognacq-Jay.

◄ Rembrandt, *Susanna und die Alten*, Zeichnung, Berlin, Kupferstichkabinett. Diese mit herausragender technischer Sicherheit ausgeführte Zeichnung entstand nach einem der bedeutendsten Gemälde seines Lehrmeisters und macht deutlich, wie eifrig der junge Rembrandt die Werke Lastmans studierte. Im Vergleich erkennt man jedoch, daß Rembrandt den Raum zwischen den Figuren erweitert, deren Gestik und Mimik verändert und der Szene dadurch eine weniger theatralisch wirkende Dramatik verliehen hat.

◄ Pieter Lastman, *Susanna und die Alten,* 1614, Berlin, Staatliche Museen.

▼ Pieter Lastman, *Die Taufe des äthiopischen Eunuchen,* 1623, Karlsruhe, Staatliche Museen. Das ungewöhnliche Thema inspirierte Rembrandt 1626 zu dem rechts abgebildeten Werk mit demselben Titel (Utrecht, Rijksmuseum Het Catharijne Convent).

Rembrandt, *Simeon im Tempel*, Ausschnitt, 1631, Den Haag, Mauritshuis

Der Beginn einer großen Karriere

Die Zusammenarbeit mit Jan Lievens

Nachdem er seine Lehrzeit bei Lastman absolviert hat, kehrt der neunzehnjährige Rembrandt nach Leiden zurück, wo sich neue berufliche Möglichkeiten für ihn eröffnen. Er richtet sich eine Werkstatt ein und arbeitet eng mit dem angehenden Leidener Maler Jan Lievens zusammen, der nur ein Jahr jünger als er selbst ist und ebenfalls bei Lastman gelernt hat. Sie arbeiten im gleichen Stil, variieren dieselben Bildinhalte und benutzen dieselben Modelle. Beide führen in die traditionelle Leidener »Feinmalerei« Stilelemente der italienischen Kunst und der Malerei der Utrechter Schule ein. Zunächst können sie nur in ihrer Heimatstadt Erfolge verbuchen. Bald aber wird sich der Ruhm dieses »jungen und edlen Malerpaars«, wie die beiden von dem einflußreichen niederländischen Diplomaten und Schriftsteller Constantijn Huygens genannt werden, über die Landesgrenzen hinaus verbreiten.

> Rembrandt, *Der Heilige Paulus im Gefängnis*, 1627, Stuttgart, Staatsgalerie. Das am Bett lehnende Schwert – für einen Gefangenen ein höchst unpassendes Utensil – gilt traditionell als Attribut des Heiligen Paulus.

☒ Rembrandt, *Vornehmer Orientale*, 1632, New York, Metropolitan Museum of Art. In den Jahren, in denen Rembrandt sich möglicherweise ein Atelier mit Lievens teilte, entwickelte er seine charakteristische Vorliebe für das Exotische und Pittoreske. Vergleicht man die beiden Orientalen miteinander, werden Gemeinsamkeiten, aber auch wesentliche Unterschiede deutlich: Jan Lievens Porträtstil ist prägnanter und kühler, Rembrandts Figuren hingegen sprühen vor Leben.

☒ Jan Lievens, *Ein Orientale*, um 1628, Potsdam, Schloß Sanssouci. Lievens' Figuren erscheinen durch die Licht-Schatten-Modellierung plastischer als die Rembrandts.

☑ Jan Lievens, *Apostel Paulus schreibt einen Brief an die Thessalo-niker*, um 1629, Bremen, Kunsthalle. Mit Vorliebe stellten die beiden jungen Künstler hochbetagte biblische Figuren mit wallenden Bärten in ihren Bildern dar.

◪ Jan Lievens, *Bildnis von Rembrandt mit Halsberge,* um 1629, Amsterdam, Rijksmuseum. Das gegenseitige Porträtieren war im angehenden Barock keine Seltenheit mehr und spricht für das Selbstbewußtsein der Künstlerschaft.

◪ Rembrandt, *Selbstbildnis mit Halsberge,* um 1629, Den Haag, Mauritshuis. Der Harnischkragen trügt, Rembrandt gehörte nie einer Bürgermiliz an. Dieses Rollenporträt spiegelt den Stolz der jungen niederländischen Nation wider.

23

Der Prophet Jeremias beklagt die Zerstörung Jerusalems

Das Bild, signiert und datiert 1630, befindet sich heute im Amsterdamer Rijksmuseum. Jeremias beklagt die Zerstörung Jerusalems durch König Nebukadnezar, der die Israeliten in die babylonische Gefangenschaft führen ließ.

☑ Rembrandt, *Der schlafende Alte am Feuer,* 1629, Turin, Galleria Sabauda. Auch bei dem Schlafenden, der eine ähnliche Haltung einnimmt wie Jeremias, zeigt sich Rembrandts Talent, Gemütsstimmungen überzeugend darzustellen.

◿ Das Antlitz des Propheten trägt die Züge von Rembrandts Vater, der kurz nach der Fertigstellung dieses Gemäldes starb. Es existiert nur ein Bildnis, das ihn mit Sicherheit darstellt (Seite 11), allerdings gibt es einige »Charakterköpfe«, die ihm wohl ähneln.

☑ Ungewöhnliches Detail dieses Gemäldes: die Goldschmiedearbeiten, in denen sich die Flammen des brennenden Jerusalem zu spiegeln scheinen. Die Darstellung dieser Pretiosen stellt Rembrandts Virtuosität eindrucksvoll unter Beweis.

☑ Jan Lievens, *Hiob im Elend,* 1631, Ottawa, National Gallery of Canada. Auch hier ist die Ähnlichkeit der Stile Rembrandts und Lievens' unverkennbar.

1627–1632

Gerrit Dou, der erste Schüler

Im Februar 1628 nimmt Rembrandt mit dem damals erst fünfzehnjährigen Leidener Gerrit Dou seinen ersten Schüler auf – ein deutliches Zeichen für seinen steigenden Stellenwert als Künstler. Seine Ausbildungstätigkeit sichert Rembrandt feste Einnahmen, zahlten die Malereleven doch ein ansehnliches Lehrgeld. In jene Zeit fallen auch seine ersten wirtschaftlichen Erfolge. Ein Bild, das er selbst zu Fuß von Leiden nach Amsterdam bringt, wird dort für hundert Gulden verkauft. Dou bleibt in der Werkstatt Rembrandts, bis dieser 1632 nach Amsterdam übersiedelt. Auch aus dem Schüler wird ein Meister, der sich unter den Malern der Leidener Schule als typischer Vertreter der *Fijnschilders,* der »Feinmaler«, hervortut und sich für die Gründung einer Malerzunft in Leiden einsetzt.

Dou malt in einem unverwechselbaren Stil mit der Präzision eines Miniaturmalers vorwiegend kleinformatige Bilder. Die Lehrjahre in Rembrandts Werkstatt sind für Dous künstlerische Entwicklung von grundlegender Bedeutung. Quellenforschungen haben ergeben, daß der Schüler und sein Meister auch gemeinsam an Bildern gearbeitet haben.

■ Gerrit Dou, *Kartenspieler im Kerzenlicht,* Salzburg, Residenzgalerie. Auch Dou brilliert in der Anwendung carravaggesker Lichteffekte.

◥ Gerrit Dou, *Die junge Mutter,* Berlin, Staatliche Museen. Die realistischen Details sind mit größter Sorgfalt wiedergegeben, was an die altniederländische Malerei erinnert.

◀ Gerrit Dou, *Zimmer mit Frau, die eine Hafersuppe ißt,* um 1632, Privatsammlung. In diesem Jugendwerk ist womöglich die Mutter Rembrandts dargestellt, die auch für die Schüler in der Werkstatt ihres Sohnes Modell saß.

▶ Gerrit Dou, *Die Wildverkäuferin,* London, National Gallery. Charakteristisch für einige der besten Bilder Dous sind üppige, virtuos ausgeführte Stilleben mit Trompe-l'œil-Charakter.

▼ Gerrit Dou, *Selbstbildnis vor der Staffelei,* Privatsammlung.

Ein Fall für den Psychiater?

Berichten zufolge war die psychische Befindlichkeit Gerrit Dous keineswegs stabil. Die Chronisten sprechen von einem geradezu zwanghaften Bedürfnis nach Reinlichkeit. Der Maler scheint so sehr darauf bedacht, sein Atelier sauber zu halten, daß er kaum Besucher zuläßt. Es kommt zu denkwürdigen Wutausbrüchen, weil in seinen Augen schmutzige oder achtlose Laufburschen und Händler die Luft »verpesten«. Die Angst vor aufgewirbeltem Staub veranlaßt den Pedanten mehrfach, seine Arbeit tagelang zu unterbrechen. Verständlich, daß ein Mann wie er keine Frau findet. Penibel hält er seine Staffelei, die Pinsel und die übrigen Arbeitsinstrumente in Ordnung. Dou hat in seinem Leben nur verhältnismäßig wenige Bilder geschaffen. Er arbeitet äußerst langsam und mit geradezu entnervender Genauigkeit. Bei Sammlern und Kritikern steht er jedoch in hohem Ansehen.

Constantijn Huygens, Humanist und Talentsucher

> Jan Lievens, *Bildnis des Constantijn Huygens,* 1628–29, Amsterdam, Rijksmuseum (Leihgabe des Musée de la Chartreuse, Douai).

Die entscheidende Wende in der künstlerischen Laufbahn von Rembrandt und Jan Lievens kündigt sich eines Tages mit dem Besuch von Constantijn Huygens an. Der vielgereiste, hochgebildete Geheimsekretär des Prinzen von Oranien ist nicht nur ein geschickter Diplomat, er schreibt auch geistreiche klassische Gedichte. Sein Urteil in Sachen Kunst ist maßgebend. In seiner Autobiographie von 1631 findet sich folgender Eintrag: »Besuch in Leiden, treffe auf zwei junge Maler von eher bescheidener Abstammung, Sohn eines Müllers der eine, Sohn eines Stickers der andere …« Huygens ist von den beiden tief beeindruckt, wobei er Lievens für origineller und phantasievoller hält, an Rembrandt aber die unvergleichliche Sensibilität und die eindringliche Darstellung von Gemütsbewegungen schätzt. Er bestellt bei Lievens ein Porträt von sich selbst und läßt Rembrandt ein Bildnis seines Bruders malen. Über Jahre hinweg begleitet er die Laufbahn der beiden Künstler, hilft Lievens, in England Fuß zu fassen, und sorgt dafür, daß Rembrandt Aufträge aus dem Hause des Prinzen von Oranien erhält. Immer wieder betont der begeisterte Anhänger holländischer Kunst und Kultur, daß Rembrandt und Lievens zwar nie Italien besucht haben, einem Vergleich mit den großen Meistern der Vergangenheit jedoch ohne weiteres standhalten.

■ Die Zeichnung aus dem 17. Jahrhundert zeigt im Vordergrund das Haus von Huygens in Den Haag sowie den Palast von Johann Moritz von Nassau, das Mauritshuis, in dem heute ein Museum untergebracht ist.

Ein einflußreicher Mäzen

Huygens gehört zu den großen Persönlichkeiten im Holland des 17. Jahrhunderts. Er ist Botschafter in Venedig und später in London, spricht mehrere Sprachen, korrespondiert mit Descartes, beschäftigt sich mit Astronomie, ist ein hervorragender Übersetzer und geschätzter Literat. Huygens besitzt ein Gespür für Talente und verfügt auch über die Möglichkeiten, sie zu fördern. Er bestärkt Rembrandt, sich an die großen Themen der Mythologie und sakralen Kunst zu wagen. Sein Sohn Christiaan wird später einer der führenden Mathematiker, Physiker und Astronomen seiner Zeit.

🔼 Thomas de Keyser, *Constantijn Huygens und sein Sekretär,* 1627, London, National Gallery. Das Gemälde macht die gesellschaftliche Stellung von Huygens deutlich.

▶ Rembrandt, *Der Raub der Proserpina,* um 1632, Berlin, Staatliche Museen. Das Bild wurde vermutlich durch Huygens' Vermittlung für den holländischen Hof angefertigt.

■ Die beiden kleinen Porträts auf Seite 28 links malte Rembrandt 1632. Sie zeigen Maurits Huygens, den Bruder Constantijns (oben; Hamburg, Kunsthalle) sowie den befreundeten Maler Jacob de Gheyn III (unten; London, Dulwich Picture Gallery). Die Bilder zeugen von der langen und fruchtbaren Freundschaft mit Huygens.

Familienangehörige als Modelle

Sein ganzes Leben lang hat Rembrandt Mitglieder seiner Familie porträtiert, doch handelt es sich oft nicht um Bildnisse im üblichen Sinn, vielmehr dienen ihm seine Angehörigen als Modell für allegorische, mythologische und biblische Gestalten. Die Figuren werden mit typisierten Zügen und je nach Bedarf in unterschiedlichen Posen dargestellt. Rembrandt erarbeitet sich so ein facettenreiches, vielfach variierbares Typenvokabular, die »Charaktere«. Einige Grundzüge lassen sich feststellen: So wirkt die Mutter stets ein wenig altersschwach und schicksalsergeben, der Vater ist ein griesgrämiger alter Mann, Schwester Lijsbeth eine üppige, etwas träge blonde Frau und der Sohn Titus der Inbegriff des staunenden Kindes, das sich die Schönheit und Geheimnisse dieser Welt erschließt. Die vielen Bildnisse von Saskia geben ferner Aufschluß über die intensive Bindung des Malers an seine Lebensgefährtin, vom Glück der ersten Jahre bis zu ihrem tragischen Ende.

◣ Werkstatt Rembrandt, *Junge Frau in gesticktem Mantel,* 1632, Mailand, Pinacoteca di Brera. Die Zuschreibung dieses anmutigen Bildnisses, das möglicherweise Rembrandts Schwester Lijsbeth zeigt, ist jüngsten Studien zufolge unklar. Vermutlich handelt es sich um einen Werkstattentwurf.

◥ Rembrandt (Werkstatt?), *Bildnis einer jungen Frau mit einem Fächer,* 1632, Stockholm, Statens Konstmuseer. Wahrscheinlich Lijsbeth, die jüngere Schwester Rembrandts.

◣ Rembrandt, *Rembrandts Mutter als betende Prophetin Hannah,* 1630, Salzburg, Residenzgalerie. Die älter und faltiger als in Wirklichkeit dargestellte Mutter Rembrandts saß ihrem Sohn und seinen Schülern häufig Modell und wurde so zum Inbegriff der ehrwürdigen Alten.

◀ Rembrandt, *Die Prophetin Hannah,* 1631, Amsterdam, Rijksmuseum. Das von den vergilbten Blättern des großen Buches zurückgeworfene Licht der Erleuchtung beherrscht die Szenerie. Behutsam streicht die alte Frau über die Seiten der Bibel und zeigt damit, wie sehr sie das Wort Gottes verinnerlicht.

▼ Rembrandt, *Alter Mann mit hoher Pelzkappe* (*Bildnis des Vaters*), 1630, Innsbruck, Museum Ferdinandeum. Vergleiche mit der Zeichnung auf Seite 11 lassen vermuten, daß es sich um Rembrandts Vater Harmen handelt.

Porträts oder Charakterköpfe?

Bei einer genauen Betrachtung der porträtierten Gesichter erkennt man, daß Rembrandt keine wirklichkeitsgetreuen Abbildungen seiner Eltern geschaffen hat. Er malte vielmehr Charakterköpfe. Ein bestimmter Gesichtsausdruck, ungewöhnliche Gesichtszüge, exotisch anmutende Frisuren, Hüte oder Kleidungsstücke verfremden die porträtierte Person. Die im Holländischen »Tronijes« genannten Charakterköpfe waren schon bald sehr begehrt und avancierten zu Sammlerobjekten. Rembrandt hat eine große Anzahl von Gemälden und Radierungen in diesem Stil ausgeführt.

1627–1632

Judas bringt die dreißig Silberlinge zurück

Das 1629 entstandene Werk befindet sich in englischem Privatbesitz. Constantijn Huygens war begeistert vom Spiel des Lichts in dem Gemälde.

➤ Der reumütige Ausdruck und die überzeugende Verzweiflungsgebärde des Judas wurden schon zu Rembrandts Zeit bewundert und oft kopiert.

▽ Rembrandt, *Selbst-bildnisse mit Grimassen*, 1629–30, Radierungen. Diese Selbstporträts wirken zwar wie Karikaturen, wurden jedoch in erster Linie zu Studienzwecken angefertigt. Vor dem Spiegel schnitt Rembrandt Grimassen, um den Veränderungsmöglichkeiten des Gesichtes sowie den zugrundeliegenden Emotionen nachzuspüren.

◣ Rembrandt, *Musizierende Gesellschaft in biblischer Tracht*, 1626, Amsterdam, Rijksmuseum. Schon von Anbeginn seines Schaffens, so auch in diesem frühen Gemälde aus der Leidener Zeit, zeigte sich Rembrandts Vorliebe für dekorative und kostbare Materialien aller Art. Er sammelte leidenschaftlich die verschiedensten Gegenstände und verwandte sie als Requisiten für seine Bilder. An diesem Bild wird deutlich, wie sehr sich sein Stil mit der Zeit geändert, seine Malweise entwickelt hat.

Umzug nach Amsterdam

Die lobenden Worte Huygens', die immer häufigeren Besuche von Kunstliebhabern, die ersten wirtschaftlichen Erfolge und die zunehmende Loslösung von der Familie nach dem Tod des Vaters 1630 veranlassen den jungen Maler, sich in ein mutiges Abenteuer zu stürzen. Er nimmt Verbindung mit dem Amsterdamer Kunsthändler Hendrijk van Uylenburgh auf und investiert 1631 die ansehnliche Summe von 1000 Gulden in das Geschäft mit der Kunst. Der etablierte Uylenburgh verfügt über eine zahlungskräftige, aber auch anspruchsvolle Kundschaft, die in erster Linie Porträts in Auftrag gibt. Er bringt dem ehrgeizigen Rembrandt viel Verständnis entgegen und bietet ihm einen sehr vorteilhaften Vertrag an. Im Juli 1632 verläßt der Maler endgültig seine Heimatstadt Leiden. Er zieht nach Amsterdam, wo van Uylenburgh ihm eine Wohnung und ein Atelier in einem eleganten Viertel der Hauptstadt verschafft und ihm eine Reihe von Aufträgen vermittelt. Rembrandt muß nun in erster Linie Porträts anfertigen, um sich möglichst schnell bei den Sammlern und vermögenden Käufern einen Namen zu machen.

▷ Rembrandt, *Christus im Sturm auf dem See Genezareth,* 1633, Boston, Isabella Stewart Gardner Museum. In den ersten Jahren nach seiner Übersiedlung in die Grachtenstadt widmete sich Rembrandt überwiegend Bildnissen und biblischen Themen, die er meisterhaft in der Tradition der »Leidener Schule« ausführte.

◪ Rembrandt, *Selbstbildnis mit breitkrempigem Hut,* 1631, Radierung. Mit den ersten Erfolgen änderte der Maler seine Art, sich zu kleiden. Hier wirkt er sehr selbstbewußt, beinahe überheblich.

◁ Rembrandt, *Die Heilige Familie,* um 1634, München, Alte Pinakothek. Während seiner ganzen Schaffenszeit malte Rembrandt immer wieder Bilder mit religiösen Themen. Im kalvinistischen Holland waren diese Gemälde jedoch nicht für Kirchen bestimmt, sondern für Kunstsammlungen oder Privaträume des Amsterdamer Bürgertums. Rembrandt schildert hier das biblische Motiv wie eine Szene aus dem Alltag.

➤ Jan van der Heyden, *Die Grachten von Amsterdam,* Den Haag, Mauritshuis. Dank des Einsatzes fortschrittlicher optischer Hilfsmittel hinterließ van der Heyden sehr genaue Ansichten von Amsterdam.

1632–1642

Händler, Auftraggeber und Intellektuelle

☑ Rembrandt, *Jan Uytenbogaert, der Goldwäger*, 1639, Radierung. Uytenbogaert war oberster Steuerverwalter und hatte für Rembrandt eine besondere Bedeutung: Er zahlte dem Maler den Lohn für die vom Den Haager Hof in Auftrag gegebene Gemälde aus.

Bei seiner Ankunft in Amsterdam findet Rembrandt eine Stadt vor, die in voller Blüte steht. Die Hauptstadt des wachsenden Kolonialreiches – 1626 wird Neu-Amsterdam, das spätere New York, gegründet – setzt den Besucher immer wieder aufs neue in Erstaunen. Überall im Hafen herrscht geschäftiges Treiben. In den Läden und auf den Märkten findet man Waren aus aller Welt, die Auswahl ist so groß wie nirgendwo sonst in Europa. Die Stadt wird erweitert, ihr Wasserhaushalt durch die Anlage von drei konzentrisch um den alten Stadtkern verlaufenden Kanälen reguliert. An einem davon, der Herengracht, entstehen Bürgerhäuser, die sich zu einer prachtvollen Zeile mit herrlichen Fassaden aus Stein und Ziegel, charakteristischen Giebeln und Treppen formieren. Reiche Kaufleute und Händler lassen sich hier nieder, viele von ihnen zählen zu Rembrandts Klientel. Neue Kirchen wie etwa die Westerkerk werden in gemäßigt barockem Stil errichtet. Architektonisch und wirtschaftlich gleichermaßen von besonderer Bedeutung ist die Börse, das Zentrum des Handels. Sie wird von den mächtigen Handelsgesellschaften, der Ostindischen und der Westindischen Kompanie beherrscht.

▶ Cornelis de Man, *Gruppenbildnis im Hause eines Chemikers*, Warschau, Muzeum Narodowe. Descartes, der 1628 nach Amsterdam kam, brachte den Naturwissenschaften neue Impulse.

■ Rembrandt, *Bildnisse von Maarten Soolmans und seiner Frau Oopjen Coppit,* 1634, Paris, Privatsammlung. Rembrandts Ganzfigurenbildnisse aus den dreißiger Jahren zeigen die Dargestellten in kostbarer Kleidung: Männer wie Frauen sind nach der herrschenden Barockmode mit Spitzen, Quasten, Federn und Puffärmeln ausstaffiert. Die Üppigkeit von Rembrandts Bildnissen aus jener Phase läßt sich noch am ehesten mit den Bildern von Frans Hals, dem damals gefragtesten holländischen Porträtisten, vergleichen.

◀ Rembrandt, *Bildnis eines Herrn, sich vom Stuhl erhebend,* 1633, Cincinnati, The Taft Museum. Bisweilen brachte Rembrandt mehr Leben in seine Porträts, indem er die sonst übliche förmliche Pose durch Bewegungsmomente auflockerte.

Die Anatomie des Dr. Nicolaes Tulp

Dieses faszinierende Gruppenporträt, heute im Mauritshuis in Den Haag, wurde von Dr. Tulp im Januar 1632 bei Rembrandt in Auftrag gegeben. Ursprünglich war es für den Versammlungssaal der Ärztegilde von Amsterdam bestimmt.

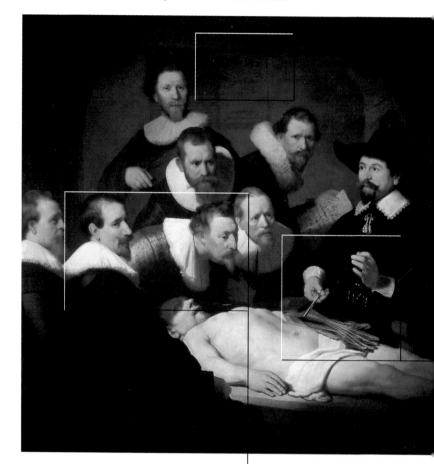

◄ Bei den sieben um den Seziertisch gruppierten Figuren dürfte es sich nicht nur um Mediziner, sondern auch um Persönlichkeiten der Stadtverwaltung handeln. Ihre Mienen verraten Interesse, aber auch gemischte Gefühle.

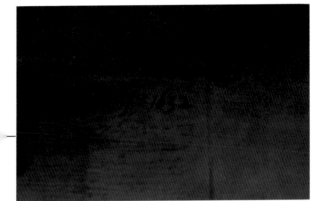

◣ Die Signatur an der Wand zeugt vom neuen Selbstbewußtsein des Künstlers. In den ersten Jahren seines Wirkens setzte er die Abkürzung RHL (Rembrandt Harmenszoon van Leiden) oder Rembrandt van Rijn unter seine Werke. Ab 1632 signierte der Maler seine Gemälde nur noch mit dem ausgeschriebenen Vornamen. Manchmal fügte er seinem Namen noch ein »f« für das lateinische *fecit* hinzu. Damit folgte er dem Beispiel der italienischen Meister des 16. Jahrhunderts, wie Tizian, Raffael, Michelangelo oder Leonardo da Vinci.

◥ Dr. Tulp demonstriert die Wirkungsweise der Sehnen. Mit seiner eigenen linken Hand veranschaulicht er die Kontraktionen und Bewegungen der Finger. Die anatomische Genauigkeit der Darstellung zeigt, daß sich Rembrandt sehr eingehend mit der Materie befaßt hat.

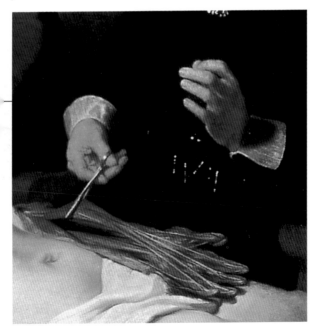

Saskia

Im Hause des Kunsthändlers Hendrijk van Uylenburgh lernt Rembrandt dessen verwaiste Nichte Saskia kennen, die aus dem friesischen Leeuwarden stammt. Zwischen dem jungen, schnauzbärtigen Maler und dem gebildeten, anmutigen und etwas schüchternen Mädchen entwickelt sich eine Romanze. Die Liebenden lassen sich weder durch den Argwohn des Gönners, noch durch die Bedenken der Verwandten Saskias beirren und verloben sich offiziell am 5. Juni 1633. Man beginnt mit den Vorbereitungen für die Hochzeit, doch läßt die Zustimmung von Rembrandts Mutter auf sich warten. Endlich ist es soweit: Am 22. Juli 1634 darf der Maler Saskia heiraten. Die Zeremonie findet in Sankt Anna, einem Gotteshaus der reformierten Kirche auf einem Polder in Saskias friesischer Heimat statt. Liebevolle Zuneigung und Phantasie, Fröhlichkeit und sinnliche Freuden erfüllen das Leben des Paars. Für den Müllerssohn Rembrandt bedeutet diese Heirat zugleich den sozialen Aufstieg.

◣ Rembrandt, *Saskia mit Schleier*, 1633, Amsterdam, Rijksmuseum. Die aus wohlhabendem Hause stammende Saskia brachte eine Mitgift von mehr als 40 000 Gulden in die Ehe ein, was Mißgunst bei Saskias Verwandten hervorrief, die Rembrandt der Verschwendung bezichtigten.

◣ Rembrandt, *Saskia mit Hut*, 1634–35, Kassel, Staatliche Museen, Gemäldegalerie.

◣ Rembrandt, *Drei Frauenköpfe*, um 1634, Radierung. Saskia taucht sehr häufig in Rembrandts Werken auf. Immer wieder stellte der Maler seine Frau in Gemälden, Zeichnungen und Radierungen dar, und oft spricht aus ihren Zügen der Ausdruck inniger Zärtlichkeit.

◀ Rembrandt, *Saskia,* Ausschnitt, 1633, Berlin, Kupferstichkabinett. Am Rande der Zeichnung vermerkte Rembrandt: »Das ist nach meiner Hausfrau konterfeit, als sie 21 Jahre alt war, am 3. Tag, nachdem wir verlobt waren.«

▼ Rembrandt, *Saskia als Flora,* 1634, Sankt Petersburg, Eremitage. Die Pose und das Gewand lassen erkennen, daß Saskia ein Kind erwartete. Der 1635 geborene Sohn Rombertus starb jedoch zwei Monate nach der Geburt.

Ein rascher Aufstieg

Dank der Mitgift seiner Frau und der Erträge aus dem Verkauf seiner Gemälde und Radierungen wird Rembrandt fast über Nacht ein reicher Mann. Durch seine Heirat ist er nun ein Mitglied der besseren Gesellschaft und mit hochgestellten Vertretern der Kunstszene verwandt. 1635, mit 29 Jahren, verläßt er das Haus van Uylenburghs und zieht ans Amstelufer. Zugleich mietet er ein großes Lager an, das er als Atelier nutzt, und nimmt eine große Zahl von Schülern auf. Da er brieflich oder persönlich ständig mit Constantijn Huygens in Verbindung steht, ist sein Name auch am Hofe von Den Haag bekannt. Aus gutem Grund vermeidet Rembrandt das allzu offene Bekenntnis zu einer bestimmten Konfession. So kann er ohne Probleme gleichermaßen für Kalvinisten und Katholiken, Mennoniten und Juden malen. Sein neuer Reichtum erlaubt es ihm jetzt auch, sich seiner Sammelleidenschaft hinzugeben: Im kosmopolitischen Amsterdam beginnt er, allerlei kuriose Kunstschätze zusammenzutragen.

◼ Rembrandt, *Der reformierte Pastor Johannes Elison*, 1634, Boston, Museum of Fine Arts. Die Beteuerungsgeste des Pastors ist als Bekenntnis zu seiner Konfession zu deuten.

◀ Rembrandt, *Vermutliches Selbstbildnis als Fahnenträger*, 1636, Paris, Privatsammlung. Die selbstgefällige Pose und die Körperhaltung – die Blickrichtung und der zur Seite abgewendete Oberkörper werden diametral entgegengesetzt – sind Kennzeichen der Bildnisse aus den dreißiger Jahren. Oft lassen die vielen Rollenporträts, die nicht selten die Gesichtszüge Rembrandts tragen, eindeutige Aussagen zu Inhalt und Intention des Dargestellten nicht zu.

◀ Rembrandt, *Artemisia empfängt die Asche ihres Mannes, in Wein gemischt* oder *Sophonisbe,* 1634, Madrid, Museo del Prado. Die Meinungen sind geteilt: Wen stellt die matronenhafte Heldin auf dem Gemälde dar? Vermutlich Artemisia, die Gattin des Mausolos, als sie sich anschickt, die in einem Becher aufgelöste Asche ihres Gatten zu trinken. Vorgeschlagen wurde auch Sophonisbe, Königin von Numidien, die nach ihrer Niederlage gegen Massinissa den Tod durch den Giftbecher wählte, um sich der Gefangennahme durch die Römer zu entziehen. Das Modell ist jedoch zweifellos Saskia.

▼ Rembrandt, *Frau mit Fächer,* 1633, New York, Metropolitan Museum of Art.

Rembrandt und die Frauen

Rembrandt liebte die Frauen, daran besteht kein Zweifel. Nach dem Tod von Saskia, in deren Liebe er ganz aufgegangen ist, unterhält er weitere stürmische Beziehungen. Nur wenigen Künstlern ist es gelungen, die Gefühlswelt, den Zauber und die Anmut des Weiblichen vergleichbar überzeugend und beeindruckend darzustellen. Rembrandt malt Kinder, junge Mädchen an der Schwelle des Lebens, junge Frauen, unsicher und entschlossen zugleich, ihren Eintritt in das gesellschaftliche Leben erwartend. Er zeigt Mütter, stämmige Mägde und ehrwürdige alte Frauen mit wachen Gesichtern.

1632–1642

Das glückliche Paar

Dieses etwa auf das Jahr 1635 zu datierende
Bild (Dresden, Gemäldegalerie) wurde, wie
erst jüngst festgestellt, stark beschnitten.
Bislang galt es allgemein als Zeugnis des ehe-
lichen Glücks zwischen Rembrandt und Saskia.

☑ Der Ausdruck der Frau wirkt sehr verhalten gegenüber dem etwas vulgären Lachen des Mannes mit den Zügen Rembrandts. Die Entdeckung, daß ursprünglich eine weitere, später abgeschnittene Figur mit abgebildet war, läßt vermuten, daß das Gemälde zunächst als Interpretation des *Verlorenen Sohns* aus der Bibel angelegt war.

◪ Rembrandt, *Saskia lächelnd mit Federbarett*, 1633, Dresden, Gemäldegalerie. Hier erscheint Saskia ganz ohne moralisierende Anspielungen, temperamentvoll und lebenssprühend. Der auffällige Kopfschmuck entstammte offensichtlich der umfangreichen Requisiten- und Kostümsammlung, die Rembrandt in seinem Atelier aufbewahrte.

▶ Rembrandt, *Selbstbildnis mit Saskia*, 1636, Radierung. Eine ganz andere Stimmung mag dieser Radierung zugrundeliegen. Rembrandt und Saskia scheinen über das Schicksal ihrer Ehe nachzudenken, in der es bis dahin noch nicht zu dem ersehnten Familienglück gekommen war. Die ersten drei Kinder des Paares, ein Junge und zwei Mädchen, wurden nicht älter als zwei Monate.

Exotik und kalvinistische Strenge

☑ Rembrandt, *Brust-bild eines Mannes im orientalischen Kostüm,* 1635, Amsterdam, Rijks-museum. Es handelt sich hierbei wohl eher um einen Charakterkopf als um ein Porträt im üblichen Sinne.

Unstillbare Neugier, die Vorliebe für das Außergewöhn-liche und der Wunsch, sich dessen zu »bemäch-tigen« – diese Charakterzüge kommen in Rembrandts gesamtem Leben zum Ausdruck. Während seiner ersten Jahre in Amsterdam stürmen nahezu täglich neue Eindrücke und Anregungen auf ihn ein. Am Beispiel dieser weltoffenen Stadt wird aber auch deutlich, daß das Holland des 17. Jahrhunderts zwei Gesichter hat. Einerseits wünscht man sich ein einfaches, geordnetes Familienleben und akzeptiert bestehende gesellschaftliche Hierarchien; auf der anderen Seite aber lockt das ausschwei-fende Leben, wächst der Überfluß an Gütern aller Art. Die Kolo-nialherrschaft der Niederlande erreicht in den dreißiger Jahren ihren Höhepunkt: Die Besitzansprüche in Brasilien sind gefestigt, und rund um den Globus gibt es holländische Handelsnieder-lassungen – Archangelo, Ceylon, Caracas, Pernambuco, Curaçao, Surinam, Java, die Molukken und sogar das ferne Tasmanien gehören dazu. Flotte und Heer bieten spanischen Eroberern die Stirn. Vom Dreißigjährigen Krieg, der gleichzeitig in Mitteleuropa wütet, bleibt das wohlhabende Holland verschont und bestätigt damit seine Rolle als »Insel der Glückseligen«.

➤ Rembrandt, *Ein Ele-fant,* Kohlezeichnung, um 1637, London, British Museum. Rem-brandt nutzte jede Ge-legenheit, um neue Eindrücke zu sammeln. Die Zeichnung des Dickhäuters entstand nach einem Besuch der Anlegestellen im Hafen von Amsterdam, wo exotische Pflan-zen und Tiere aus aller Welt eintrafen.

◀ Rembrandt, *Bildnis einer 83jährigen*, 1634, London, National Gallery. Die schlichte schwarzweiße Kleidung lenkt die Aufmerksamkeit auf das ausdrucksstarke, gütige Gesicht der Alten.

◀ Rembrandt, *Mann in polnischer Tracht*, 1637, Washington, National Gallery of Art. Polnischen und ungarischen Pelztrachten nachempfundene Gewänder waren eine beliebte Kostümierung.

◀ Rembrandt, *Zwei Schwarze*, 1661, Den Haag, Mauritshuis. Zwei Schwarze aus Übersee standen Rembrandt Modell für dieses Bild, das als Entwurf für eine nicht ausgeführte Komposition gilt. Es zeugt vom »internationalen Flair« in der damaligen Weltstadt Amsterdam.

▲ Rembrandt, *Bildnis des Nicolaes Ruts*, 1631, New York, Frick Collection. Exotische Motive waren für Rembrandt der notwendige Gegenpol zu der bedrückenden Sittenstrenge der holländischen Kalvinisten, deren ernste, dunkle Kleidung ihrer rigiden Moral entsprach. Einziges schmückendes Beiwerk waren die auffälligen Halskrausen.

49

Die Druckgraphiken

Rembrandt gilt als einer der bedeutendsten Vertreter der graphischen Kunst. Seine Begabung, die künstlerischen Möglichkeiten der einzelnen Techniken auszuloten und sie als Ausdrucksmittel einzusetzen, ist unübertroffen. Kleinformatige Genreskizzen, aber auch großangelegte Kompositionen arbeitet er bis ins Detail aus und bietet sie in nur geringfügig verschiedenen Versionen an. Natürlich ist die Druckgraphik auch eine lukrative Einnahmequelle, insbesondere aber interessiert Rembrandt die breite Palette der Gestaltungsmöglichkeiten. Selten nur »reproduziert« er Kompositionen bereits ausgeführter Gemälde, meist widmet er sich völlig neuen Themen und findet bei seiner Arbeit mit dem Helldunkel, mit Licht und Schatten zu innovativen Ansätzen. Zugute kommen ihm dabei sein handwerkliches Geschick bei der Bearbeitung von Druckplatten und seine Kenntnis chemischer Vorgänge. Der Meister erkennt die Vorteile, die die problemlose Vervielfältigung bietet, und nutzt sie auch für den Unterricht mit seinen Schülern. Mit dem Verkauf seiner Drucke verdient Rembrandt viel Geld, wenngleich auch diese Einnahmen auf Dauer nicht ausreichen, um seine enormen Ausgaben zu decken.

◩ Rembrandt, *Auferweckung des Lazarus*, Radierung. Diese Komposition des Meisters war die Grundlage für viele Studien seiner Schüler, wie das Gemälde von Carel Fabritius auf Seite 63 zeigt. Bestechend die Ausdrucksintensität der Gebärden, der ungewöhnliche Blickwinkel und die grandiose Lichtführung.

◀ Rembrandt, *Ecce Homo*, 1636, Radierung. Rembrandt schuf diese Radierung nach einem monochromen Gemälde aus dem Jahre 1634, das sich heute in der Londoner National Gallery befindet.

▶ Rembrandt, *Christus segnet die Kinder und heilt Kranke*, (das *»Hundertguldenblatt«*), 1639–40, Radierung. Schon zu Rembrandts Lebzeiten fand diese großformatige Arbeit für den hohen Preis von 100 Gulden einen Käufer.

▲ Rembrandt, *Jesus predigt zum Volk,* Radierung. Die berühmte lichtdurchflutete Komposition fand viele Nachahmer.

▶ Rembrandt, *Hieronymus in italienischer Landschaft,* Kaltnadel-Radierung. Rembrandt versetzt den Heiligen Hieronymus in eine italienisch anmutende Phantasielandschaft.

51

Italienische und flämische Vorbilder

D er einflußreiche Constantijn Huygens erkennt sehr bald das unübliche Verhältnis des Leidener Malers zu den »Klassikern« der Kunst – insbesondere den italienischen Meistern und Vertretern der nahegelegenen Schule von Rubens in Antwerpen. Rembrandt begibt sich nicht auf die obligate Reise nach Rom und verläßt auch sonst sein Heimatland Holland nicht. Das hat verschiedene Gründe: In seinem innersten Wesen begreift sich der Meister als Holländer, auch hat er als vielbeschäftiger Mann keine Zeit zu langen Reisen. Außerdem fehlt es auf dem Amsterdamer Kunstmarkt nicht an Kopien und Druckgraphiken der Gemälde großer italienischer Maler. Rembrandt kann sich also bestens über die Kunst der Renaissance und des Barock informieren. Seine Malerei besteht keinesfalls nur aus sich selbst heraus und ist auch nicht frei von fremden Einflüssen. Immer wieder hat Rembrandt das Bedürfnis, sich mit den Größten seiner Zeit zu messen.

◣ Peter Paul Rubens, *Kreuzabnahme,* 1609–11, London, Courtauld Institute. Die Abbildung zeigt eine Ölskizze zum Altarbild in der Antwerpener Kathedrale.

◤ Rembrandt, *Kreuzabnahme,* 1632–33, München, Alte Pinakothek. Obwohl Rembrandt nie in Antwerpen war, hatte er sicherlich Gelegenheit, Werke von Rubens zu studieren. Die *Kreuzabnahme* gehört zu jenen biblischen Historienbildern, die der Meister durch Constantijn Huygens' Vermittlung für den Den Haager Hof schuf (siehe nachfolgende Seiten).

⊼ Rembrandt, *Madonna mit Kind,* Radierung. Für diese Komposition verwendete Rembrandt eine Druckvorlage von Mantegna (unten), die sich mit großer Wahrscheinlichkeit in seiner Sammlung befand. Das anrührende Thema der Madonna mit Kind wurde im 16. Jahrhundert von vielen Künstlern in unterschiedlichsten Versionen gestaltet, darunter von Meistern des Kupferstichs wie dem Bologneser Jacopo Francia (rechts oben: Detail aus der *Heiligen Familie*) und Albrecht Dürer (rechts unten).

Die Kreuzaufrichtung

Es handelt sich hier um das erste von fünf Werken, in denen sich Rembrandt der Passion Christi widmete. Die zwischen 1633 und 1639 entstandene Bildergruppe befindet sich heute in der Alten Pinakothek in München.

◄ Rembrandt, *Die Grablegung.* Das fast monochrome Werk wurde erst im Jahre 1639 vollendet. Zahlungsverzug und Änderungswünsche des Auftraggebers, der Hof des Prinzen von Oranien, hatten die Arbeit erschwert.

▼ Rembrandt, *Die Himmelfahrt,* (vollendet 1636) ist entgegen der Tradition als Nachtbild in Szene gesetzt. Rembrandt hatte sich seit 1634 mit der Komposition beschäftigt und sie mehrmals überarbeitet, wie Röntgenaufnahmen beweisen. Auffallend ist auch das Format: Die 92 x 70 cm großen Gemälde sind wie Altarbilder oben abgerundet.

◄ Rembrandt, *Die Auferstehung Christi.* Das Bild war Rembrandts Angaben zufolge schon 1636 teilweise fertiggestellt, wurde jedoch erst 1639 zusammen mit der *Grablegung* abgeliefert. Inzwischen hatte man Gerrit van Honthorst zum Hofmaler in Den Haag erkoren. Zwei weitere Darstellungen ergänzen den Zyklus: Die *Anbetung der Hirten* – eine eigenhändige Replik befindet sich in der National Gallery in London – und die verlorengegangene *Beschneidung Christi.* Beide Gemälde wurden 1646 für jeweils 1200 Gulden vom Hof gekauft.

Sammler, Freunde, Gläubiger

☑ Rembrandt, *Nicolaes van Bambeeck*, 1641, Brüssel, Musées Royaux des Beaux-Arts (Pendant zum Bild der Ehefrau Agatha Bas auf der Seite gegenüber). Rembrandt bedient sich hier eines illusionistischen Kunstgriffs, indem er beide Figuren in einen kaum erkennbaren Fensterrahmen stellt, über den die Hände der Porträtierten mit Geldbeutel bzw. Fächer hinausragen.

Rembrandt steht im Mittelpunkt des gesellschaftlichen Lebens von Amsterdam. 1632 findet sich sogar ein Gerichtsbeamter bei ihm ein, der im Auftrag von zwei Spaßvögeln die Existenz von hundert noch lebenden Berühmtheiten nachweisen soll – und natürlich muß ihn da sein Weg auch zu dem Meister führen. Seine Freundschaft mit Huygens, seine Verbindungen zum Den Haager Hof, seine Bekanntschaft mit dem zweimaligen Amsterdamer Bürgermeister und hochangesehenen Arzt Dr. Tulp, seine Verwandtschaft mit dem einflußreichen Kunsthändler van Uylenburgh und natürlich seine Ehe mit Saskia haben Rembrandts gesellschaftliche Stellung gefestigt. Seine in den dreißiger Jahren entstandenen Porträts – Gemälde wie Radierungen – ergeben ein komplettes Panorama der führenden Amsterdamer Gesellschaft. Der Meister hat viele Freunde und Verehrer, einige von ihnen werden sich später allerdings in hartnäckige Gläubiger verwandeln. Auf dem Gipfel seines Ruhms trennen Rembrandt etwa 15 Jahre vom völligen finanziellen Ruin.

▶ Dieses im Besitz des Londoner Courtauld Institute befindliche Gemälde von Frans Francken und David Teniers zeigt, wie eine flämische Kunstsammlung um 1640 aussah. Verschiedenste Bildgattungen – Porträts, biblische und mythologische Historienbilder, Landschaften – und Skulpturen scheinen wahllos auf Möbel postiert oder übereinander gestapelt zu sein.

◄ Rembrandt, *Mühle im Kemmerland* (ganz links) und die sogenannte *Brücke des Jan Six* (links), zwei Landschaftsradierungen.

▼ Rembrandt, *Jan Six am Fenster,* 1647, Radierung. Dieses für seine Zeit unkonventionelle Bildnis zeigt Six in lockerer Haltung als Dichter und Literat, auch wenn Adelsattribute wie Schwert und Schärpe beigefügt sind.

▲ Rembrandt, *Agatha Bas,* 1641, London, Buckingham Palace, Königliche Sammlung.

Durch einen Trompe-l'œil-Effekt entsteht der Eindruck, als stehe die junge Frau am Fenster.

Jan Six

Jan Six, einer der besten Freunde Rembrandts, verdient besondere Erwähnung. Der reiche, gebildete Poet und Tragödienschreiber mit offenkundig politischen Ambitionen ist auch ein leidenschaftlicher Kunstsammler und hilft dem Maler wiederholt aus finanziellen Schwierigkeiten. Wie eine Anekdote glaubwürdig zu berichten weiß, soll Rembrandt die Zeichnung für *Die Brücke des Jan Six* (ganz oben) bei seinem Freund auf dem Lande angefertigt haben – beim Essen zwischen zwei Gängen, während der Diener den Senf holte.

Die Blendung Simsons

Das 1636 entstandene Gemälde (Frankfurt am Main, Städelsches Kunstinstitut) gilt als eines der drastischsten Werke Rembrandts. Er schenkte es Constantijn Huygens als Zeichen seiner Dankbarkeit für die Unterstützung bei Hofe.

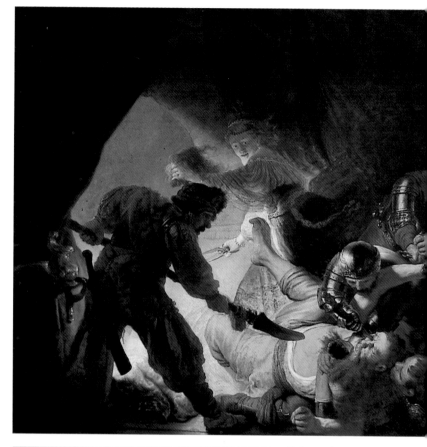

◀ Caravaggio, *Martyrium des Heiligen Matthäus,* 1600, Rom, San Luigi dei Francesi. In seiner Dynamik und Dramatik erinnert Rembrandts Gemälde an dieses berühmte Bild.

➤ Rembrandt, *Simson, von Delila verraten,* 1629–30, Berlin, Staatliche Museen. Der Maler scheint vom Schicksal Simsons fasziniert gewesen zu sein, denn immer wieder griff er dieses Thema auf. Das Gemälde fängt den Augenblick des Verrats ein und ist charakteristisch für Rembrandts frühe Schaffensperiode, in der er noch mit Jan Lievens zusammenarbeitete.

◄ Rembrandt, *Simson droht seinem Schwiegervater,* um 1635, Berlin, Staatliche Museen. Rembrandt legte Bibeltexte wortgetreu aus und studierte die Heilige Schrift bis in alle Einzelheiten. Dabei stieß er auch auf weniger bedeutende Episoden, die er in Szenen wie dieser umsetzte. Im Vordergrund stand weniger die religiöse Botschaft als vielmehr eine prägnante Darstellung der Gemütsbewegungen.

➤ Rembrandt, *Simson gibt den Hochzeitsgästen das Rätsel auf,* 1638, Dresden, Gemäldegalerie. Die Komposition läßt den Einfluß von Leonardo da Vincis *Abendmahl* erkennen.

1632–1642

Die Werkstatt

Rembrandt steckt sein ganzes Leben lang viel Zeit und Energie in seine Lehrtätigkeit. Schon während seiner engen Zusammenarbeit mit Lievens in Leiden umgibt er sich mit Schülern und Mitarbeitern, die zum Teil über ein beachtliches Können verfügen. Das erhöht nicht nur die Arbeitsleistung der Werkstatt, die Schüler zahlen auch ein nicht unbeträchtliches Lehrgeld, um bei Rembrandt studieren zu können. Ihr Meister fördert sie dafür durch persönlichen Einsatz und geduldige Zuwendung. Vor allem in den dreißiger Jahren des 17. Jahrhunderts ist die Zahl der Eleven so hoch, daß Rembrandt einen erheblichen organisatorischen Aufwand betreiben muß. Er mietet ein leerstehendes Lagerhaus an und baut es in ein Atelier um. Mit Hilfe von Trennwänden und Vorhängen schafft er einzelne kleine Werkräume. Die Mitarbeiter können so ihrer Arbeit konzentriert und ungestört nachgehen. Wie einzelne Radierungen nahelegen, hält Rembrandt auch Gruppenunterricht ab, in dem die Schüler durch entsprechende Kostümierung und Ausstaffierung Kompositionen nachstellen und skizzieren. Gute Dienste leistet dabei des Meisters reicher Fundus an Theaterrequisiten.

◩ Rembrandt, *Schüler, der eine klassische Statue abzeichnet*, Radierung. Diese kleine Studie zeigt einen jungen Schüler, der bei Kerzenschein den Gipsabdruck einer antiken Statue studiert. Offensichtlich beobachtete der Meister mit Wohlwollen die Bemühungen seiner Schüler, in die Geheimnisse der Kunst vorzudringen.

■ Diese beiden Radierungen, ein im Halbschatten sitzendes Modell und ein sitzender Jüngling mit ausgestrecktem Bein, wurden von Rembrandt wahrscheinlich zu Lehrzwecken für das Studium der Gliedmaßen und Posen des männlichen Akts geschaffen. In Weimar, Paris, Dresden, Darmstadt und anderen Städten aufbewahrte Zeichnungen seiner Schüler dokumentieren anschaulich die Bedeutung, die das gemeinsame Zeichnen nach dem lebenden Akt in Rembrandts Atelier hatte.

◣ Constantijn van Renesse, *Verkündigung Mariä,* Berlin, Kupferstichkabinett. Auf dieser Zeichnung aus Rembrandts Werkstatt sind deutlich die Korrekturen des Meisters an der Komposition seines Schülers zu erkennen.

■ Zuweilen dienten Rembrandts Radierungen seinen Schülern als Vorlage für eigene Gemälde. Govert Flinck etwa übernahm in seinem *Guten Samariter* (oben; London, Wallace Collection) eine Komposition Rembrandts (links). Nur der Hund, der im Vordergrund sein Geschäft verrichtet, wurde weggelassen.

1632–1642

Das Amsterdamer Theater

☑ Govert Flinck, *Bildnis Rembrandts als Hirte*, um 1636, Amsterdam, Rijksmuseum. Auch der Meister liebte es, in ausgefallene Rollen zu schlüpfen.

J üngste Studien über Rembrandt haben überraschende Erkenntnisse gebracht. Der Katalog seiner Bilder wurde aktualisiert und dabei sorgfältig zwischen Originalen, Kopien und Schülerausführungen getrennt. Bei dieser Gelegenheit wurden auch neue, bisher unbeachtete Aspekte untersucht wie Rembrandts ausgesprochene Vorliebe für das Theater. Vor allem während seiner Amsterdamer Zeit widmet sich der Maler, der schon als Kind an Schüleraufführungen teilgenommen hat, dieser Leidenschaft. Die holländische Literaturlandschaft des 17. Jahrhunderts ist vielgestaltig; beachtenswerte Theaterstücke entstehen in dieser fruchtbaren Periode. Der größte niederländische Dichter des 17. Jahrhunderts, Vondel, schreibt eine ganze Reihe von Dramen. Und auch Jan Six, ein Kunstsammler und Auftraggeber Rembrandts, erlangt mit seinem klassischen Stück *Medea* Berühmtheit. Neben dem Theater für die Gebildeten geben außerdem fahrende Komödianten ihre Stücke auf Dorfplätzen und Jahrmärkten zum besten. Rembrandt ist fasziniert vom Mienenspiel und der Kostümierung der Schauspieler, und läßt sich von ihnen immer wieder neu inspirieren.

▶ Rembrandt, *Der Selbstmord der Lucretia*, 1664, Washington, National Gallery of Art. Die Haltung der Heldin aus der Antike wirkt ausgesprochen theatralisch. Um 1640 trat auf einer Amsterdamer Bühne erstmals eine Frau auf, was in konservativen Kreisen zu einem Sturm der Entrüstung führte.

◀ Rembrandt, *Ein sitzender Schauspieler,* um 1635, London, Courtauld Institute. Das selbstherrliche Gebaren, die ausgefallene Kleidung und die Nonchalance der Schauspieler waren für Rembrandt eine unerschöpfliche Quelle der Inspiration. Der Maler liebte die Welt der Komödianten und Gaukler, die sich ihm auf den Bühnen und Straßen Amsterdams darbot.

▶ Carel Fabritius, *Die Auferweckung des Lazarus,* um 1640, Warschau, Muzeum Narodowe. Die Gemälde Rembrandts und einiger seiner besten Schüler geben Aufschluß über die kleinen, durchdachten Inszenierungen im Atelier des Meisters. Modelle und Schüler posierten gemeinsam und stellten Episoden aus der Geschichte oder dem Evangelium nach, die dann von den anderen Schülern eingefangen wurden. Dieses beeindruckende Gemälde stammt von Carel Fabritius, einem der begabtesten Eleven Rembrandts. Fabritius übersiedelte wie sein Bruder Barendt nach Delft und hatte großen Einfluß auf den künstlerischen Werdegang von Jan Vermeer.

1632–1642

Das Domizil eines erfolgreichen Malers

W ährend der ersten zehn Jahre in Amsterdam zieht Rembrandt mehrmals um und wohnt dabei von Mal zu Mal in immer größeren und komfortableren Häusern. Im Januar 1639 entdeckt der Maler das Domizil seiner Träume, wo er seine Familie, aber auch die ständig wachsende Sammlung von Kunstschätzen und Kuriositäten unterbringen kann. Das zu Beginn des Jahrhunderts errichtete zweistöckige Haus mit dem schmucken Giebel liegt in einem vornehmen Wohngebiet am Rande des Amsterdamer Zentrums. Die Besitzer Pieter Belten und Christoffel Thijssens verlangen dafür die stattliche Summe von 13 000 Gulden.

Der Maler verdient gut und glaubt, diesen Betrag zumindest in Raten aufbringen zu können. Nach langer Verhandlung und der Zahlung eines Viertels des Kaufpreises geht das Gebäude am 1. Mai 1639 in seinen Besitz über. Er verpflichtet sich, den Rest innerhalb von fünf bis sechs Jahren zu begleichen.

◤ Das Rembrandthaus in der Sint Anthonisbreestraat in Amsterdam beherbergt heute ein Museum, in dem einige bedeutende graphische Werke des Meisters zu sehen sind. Diesen prächtigsten seiner Wohnsitze bezog Rembrandt mit Saskia am 1. Mai 1639. Der enorme Kaufpreis und die hohen Unterhaltskosten trieben ihn später in den Bankrott.

◥ Rembrandt, Zeichnung des Bildnisses des Baldassare Castiglione von Raffael mit Notizen über den Verkauf, 1639, Wien, Graphische Sammlung Albertina. Raffaels Gemälde kam am 9. Mai 1639 bei dem Kaufmann Lucas van Uffelen zur Versteigerung. Zum Preis von 3500 Gulden erhielt der Kunst- und Diamantenhändler Alfonso López letztendlich den Zuschlag.

◄ Rembrandt, Selbstbildnis, 1640, London, National Gallery. Zu diesem Gemälde wurde Rembrandt durch Raffaels Bildnis des Baldassare Castiglione inspiriert. Er stellt sich wie Castiglione als Aristokrat in kostbarem Gewand vor einer Brüstung dar. Die Lichtführung und die Farbgebung in Rembrandts Darstellung sind bewunderungswürdig.

◁ Rembrandt, *Selbst-bildnis*, 1639, Radierung. Man spürt das wachsende Selbstbewußtsein des Meisters. Er hatte gerade gegen Saskias Verwandte einen Prozeß gewonnen.

▽ Rembrandt, *Bathseba macht sich zurecht für König David*, um 1633, Ottawa, National Gallery of Canada. Die kostbaren Stoffe in Rembrandts Bildern waren Teil seiner Sammlung.

▽ Michiel Sweerts, *Das Maleratelier,* Amsterdam, Rijksmuseum. So muß eine Werkstatt zu Zeiten Rembrandts ausgesehen haben: Lehrlinge bei der Arbeit, posierende Modelle, Bruchstücke antiker Statuen und Reliefs, ein anatomisches Stu- dienmodell und poten- tielle Käufer bei einem Besuch ergeben ein leb- haftes Durcheinander. Rembrandts größte Mei- sterwerke dürften in einer derartigen gleicher- maßen verwirrenden wie faszinierenden Umge- bung entstanden sein.

1632–1642

Bildnis des Cornelis Claesz. Anslo

Cornelis Claeszoon Anslo, einer der berühmtesten holländischen Theologen, gehörte der mennonitischen Minderheit an. Das 1641 entstandene Bild (Berlin, Staatliche Museen) zeigt den Gelehrten mit seiner Frau.

◄ Foliant und Kandelaber, den am stärksten beleuchteten Details des Bildes, kommt eine besondere Bedeutung zu. Die aufgeschlagene Bibel und die Geste des Mennoniten, der seiner Frau wohl die Worte Gottes ins Gedächtnis ruft, weisen auf den Stellenwert der Heiligen Schrift und Anslos Status als Prediger hin.

◣ Rembrandt, *Bildnis des Cornelis Claesz. Anslo,* 1640, Zeichnung, London, British Museum. Die Zeichnung bildete die Grundlage für die spätere Radierung (unten). Der Prediger sitzt am Schreibtisch, auf dem Lesepult vor ihm ein aufgeschlagenes Buch; die linke Hand ruht auf einem weiteren großen Folianten. Die sprechende Geste der rechten Hand und der eindringliche Blick richten sich an einen imaginären Gesprächspartner. Im Gemälde nimmt diesen Part die andächtig zuhörende Frau des Predigers ein.

◢ Rembrandt, *Bildnis des Cornelis Claesz. Anslo im Gespräch,* 1641, Radierung. Wie es scheint, setzt Rembrandt in diesem Bildnis die Worte des Dichters Vondel virtuos um: »Ach, Rembrandt, male des Cornelis Stimm', das Sichtbare ist das Mindeste an ihm, das Unsichtbare spricht nur durch die Ohren, wer Anslo sehn will, muß ihn hören.« Obwohl auch das Äußere eine Aussage enthält, denn Cornelis trägt einen Pelzmantel, der seinen Reichtum veranschaulicht, liegt die Betonung im situativen Kontext. Im Gemälde von Cornelis und seiner Frau entsprechen die Geste, der andächtige Ausdruck der Frau und das göttliche Licht der Erleuchtung, das die Szene erhellt, in vollem Umfang den Erwartungen Vondels.

◣ Rembrandt, *Der Schiffsbaumeister Jan Rijcksen und seine Frau Griet,* 1633, London, Buckingham Palace, Königliche Sammlung. Auch in diesem Bildnis eines Ehepaars versteht es Rembrandt, das übliche Porträtschema mit einer konkreten Handlung zu bereichern, ohne die notwendige repräsentative Funktion zu überlagern: Das Porträt bleibt trotz der sprechenden Handlung nach wie vor ein Porträt.

1632–1642

Gilden und Bünde

▶ Nicolaes Pickenoy, *Die Kompanie des Hauptmanns Jan Claesz. Vlooswijck,* 1642, Amsterdam, Rijksmuseum. Ein Vergleich mit der *Nachtwache* zeigt, wie außergewöhnlich Rembrandts Bearbeitung des Themas war.

☑ Willem Kalf, *Stilleben mit Trinkhorn der St.-Sebastian-Schützengilde,* um 1653, London, National Gallery. Das prunkvolle Stilleben mit kostbarem Geschirr und erlesenen Speisen zeigt, welcher Aufwand bei den Zusammenkünften der niederländischen Vereinigungen betrieben wurde. Zeitgenössische Chronisten beschrieben sie als aufsehenerregende kulinarische Festivitäten. Das Trinkhorn, ein Symbol der Schützengilde, war ein Meisterwerk aus dem 16. Jahrhundert. Das Original befindet sich noch heute in Amsterdam.

Die Bevölkerung der Niederlande des 17. Jahrhunderts entwickelt einen starken nationalen Zusammenhalt und Bürgersinn. Schließlich hat man nicht nur gemeinsam die Unabhängigkeit errungen, die Städte stehen auch zusammen, wenn es gilt, sich vor Überschwemmung, Feuer, Verbrechen oder Landstreicherei zu schützen. So kommt es nicht von ungefähr, daß Vereinigungen der unterschiedlichsten Art Hochkonjunktur haben. Das ganze Jahr über finden Paraden, Gedenkfeiern und festliche Bankette statt, bei denen sich die Bürger der Stadt regelmäßig treffen. Die Stände organisieren sich in Gilden und Bünden, die viel zur Entstehung einer leistungsfähigen Wirtschafts- und Gesellschaftsstruktur beitragen. Natürlich fehlt es nicht an Exzessen, und viele strenggläubige Kalvinisten predigen die Abkehr von Verschwendungssucht und unnötigem Prunk. Da es keinen erblichen Adel gibt, ist ein gesellschaftlicher Aufstieg nur über eine bedeutende Gilde oder eine andere Vereinigung möglich. Und so müssen auch deren Versammlungsräume repräsentativ sein; für ihre Ausgestaltung gibt man deshalb oft eigene Kunstwerke und Gruppenporträts in Auftrag. Rembrandt hat häufig mit Gilden und Bürgervereinigungen zu tun. Ohne sie wären Werke wie *Die Anatomie des Dr. Nicolaes Tulp* (Seite 40–41), das Porträt der *Vorsteher der Tuchmachergilde* (Seite 114–115) und natürlich *Die Nachtwache* (Seite 72–73) nicht entstanden.

➤ Bartholomäus van der Helst, *Das Bankett der Bürgerwehr*, Ausschnitt 1648, Amsterdam, Rijksmuseum. Nicht immer wird es bei den Festmahlen wohl so gesittet zugegangen sein, wie es das Gruppenbildnis der Bürgerwehr bei der Feier anläßlich des Westfälischen Friedens vermuten läßt.

◄ Frans Hals und Pieter Codde, *Die Kompanie des Hauptmanns Reynier Reael,* 1636, Amsterdam, Rijksmuseum. Dieses grandiose Gemälde, das wenige Jahre vor Rembrandts *Nachtwache* entstand, gilt als eines der herausragendsten Gruppenbildnisse überhaupt. Anders als in Rembrandts Meisterwerk, wo mit dem Aufbruch der Kompanie eine wirkliche Begebenheit geschildert ist, wird hier durch verschiedene Posen, Gesten und Gesichtsausdrücke ein fiktives Geschehen inszeniert.

LEBEN UND WERK

Die Entstehung
eines Meisterwerks

Zehn Jahre nach der *Anatomie des Dr. Nicolaes Tulp* (Seite 40–41) beginnt Rembrandt mit einem neuen Gruppenbildnis: der *Schützenkompanie des Hauptmanns Frans Banning Cocq*, bekannt geworden unter dem irreführenden Bildtitel *Die Nachtwache*. Bei der Gestaltung des monumentalen Bildes – die Leinwand mißt ursprünglich vier mal fünf Meter, ist allerdings heute etwas kleiner, da am linken und oberen Rand ein Streifen abgeschnitten wurde – muß sich der Maler erneut mit den Problemen auseinandersetzen, die ihn von Beginn seiner Karriere an beschäftigt haben: die bewegte szenische Durchgestaltung des Historienbildes und die Verlebendigung der Bildniskunst. Um eine langweilige Aneinanderreihung der vielen Gildenmitglieder zu vermeiden, bedient sich Rembrandt eines genialen Kunstgriffs: Er stellt mit dem Aufbruch der versammelten Mannschaft einen konkreten Augenblick dar – und hebt gleichzeitig die Hauptfiguren durch Farbe, Licht, Gestik und Symbole porträtgerecht aus der Menge hervor. Rembrandt, der sich durchaus als Vertreter der Kultur seiner Heimat empfindet, gelingt so mit einem typisch holländischen Bildthema ein Historiengemälde von internationalem Rang.

▷ Jakob Backer, *Die Kompanie des Hauptmanns Cornelis de Graeff und des Leutnants Hendrick Lauwrenz*, 1642, Amsterdam, Rijksmuseum. Dieses Gruppenbildnis, das im selben Jahr wie die *Nachtwache* entstand und das gleiche Thema behandelt, bleibt sichtlich hinter Rembrandts innovativer Lösung zurück.

◁ Rembrandt, *Belsazar erblickt die Schrift an der Wand*, um 1635, London, National Gallery. Rembrandt hatte eine klare Vorliebe für dramatische Szenen, weshalb er Gemütsbewegungen bisweilen recht drastisch darstellte. Die hebräischen Zeichen bedeuten: »Gott hat dein Reich gezählt, gewogen und zerteilt«.

▷ Rembrandt, *Bildnis des Menasseh-ben-Israel*, 1636, Radierung.

◄ Rembrandt, *Das Abendmahl* (nach Leonardo da Vinci), Zeichnung, um 1635, Berlin, Kupferstichkabinett. Leonardos Bild, eine beispielhafte Darstellung der Gemütsbewegungen der zwölf Apostel, genoß bereits zu Lebzeiten des Künstlers kultähnliche Verehrung.

- -

»Mene mene tekel upharsin« – ein Buchstabenrätsel

Wie Tizian, dem er sich in gewisser Weise verwandt fühlt, ist Rembrandt voller Wißbegier. Mit großer Beharrlichkeit kann er sich auf ungelöste Probleme versteifen, so wie im Fall des Menetekels: Um herauszubekommen, warum es dem König Belsazar nicht gelang, die unheilvolle Geisterschrift an seiner Wand zu entziffern, wendet sich Rembrandt an den gelehrten Juden Menasseh-ben-Israel. Dieser erklärt ihm, Belsazar hätte die Schriftzeichen nicht horizontal, sondern vertikal lesen müssen.

Die Nachtwache

Rembrandts berühmtestes Bild (1642, Amsterdam, Rijksmuseum) gehört zu den bedeutendsten Werken der europäischen Malerei im 17. Jahrhundert. Der populäre Titel entspricht keinesfalls der dargestellten Szene, die sich tatsächlich am Tage abspielte. Das Gruppenbildnis zeigt die Schützenkompanie des Hauptmanns Frans Banning Cocq und war für den Festsaal der Clovenierschützen in Amsterdam bestimmt. Die Finanzierung lag bei 16 der Dargestellten, die je nach Rang unterschiedliche Beträge zahlten.

☑ Gegen den strengen, befehlsgewohnten Hauptmann ist die prächtig ausstaffierte und voll ins Licht gerückte Gestalt des etwas eitel wirkenden Leutnants Willem van Ruytenburgh gesetzt, die hellste Figur des ganzen Gemäldes.

◄ Unter der Führung von Hauptmann Frans Banning Cocq formiert sich die Kompanie. Rembrandt vermeidet die statische Aufreihung herkömmlicher Porträts und schafft statt dessen eine szenische Momentaufnahme.

Der unaufhaltsame Abstieg

Saskias Tod

Rembrandts Vita ist voller Episoden, die genug Stoff für einen Roman oder Film abgeben könnten. Das zentrale Ereignis im Leben des großen Meisters indes fällt ins Jahr 1642. Der Maler hat den Gipfel des Ruhms erklommen und verdient sehr gut. Dazu haben *Die Nachtwache, Das Hundertguldenblatt* und viele weitere Bilder, seine zahlreichen Schüler, die unablässige Nachfrage nach seinen Werken und das einhellige Lob der Kunstkritiker beigetragen. Da kommt es zur Tragödie. Noch während der glücklichen Jahre seiner Ehe hat er beide Eltern, Saskias geliebte Schwester und drei seiner Kinder im zartesten Alter zu Grabe tragen müssen. Nun aber erkrankt Saskia selbst, die nach der Geburt des Sohnes Titus nicht wieder zu Kräften gekommen ist, an Tuberkulose und stirbt nach monatelangem qualvollem Leiden am 14. Juni 1642 im Alter von nur dreißig Jahren. Zunächst erhält sie ein provisorisches Grab, wird dann aber am 9. Juli im linken Seitenschiff der Oudekerk beigesetzt.

☑ Rembrandt, *Der Abschied von David und Jonathan*, 1642, Sankt Petersburg, Eremitage. Die Darstellung des biblischen Themas ist möglicherweise autobiographisch zu verstehen: Die Umarmung zwischen David, der Rembrandts Züge trägt, und Jonathan wird zum bewegenden Abschied zwischen dem Maler und Saskia.

◄ Mit dieser aquarellierten Zeichnung der im Fenster lehnenden Saskia erinnert sich Rembrandt an glückliche Tage. Das Bild befindet sich heute im Museum Boymans-van Beuningen in Rotterdam. Rembrandts Gemälde, Radierungen und Zeichnungen von seiner Frau ergeben zusammen eine Art Tagebuch über eine innige, zärtliche Beziehung.

➤ Rembrandt, *Saskia als Flora,* 1641, Dresden, Gemäldegalerie. Als dieses Gemälde entstand, war Saskia bereits von ihrer Krankheit gezeichnet. Rembrandt stellt sie in Anlehnung an ein Gemälde Tizians als Flora dar; noch ahnt er nichts vom nahen Tod seiner immerwährenden Liebe. Es sollte das letzte Bild sein, bei dem Saskia ihm Modell stand.

☑ Rembrandt, *Das Ehepaar und der Tod,* 1639, Radierung, Hamburg, Kunsthalle.

Testament und Grab

Am 5. Juni 1642, neun Tage vor ihrem Tod, verfaßt Saskia ihr Testament. Sie hinterläßt ihre Mitgift in Höhe von 40 000 Gulden, die zur Hälfte an ihren Mann geht. Es ist allerdings nicht klar, wieviel davon noch zur Verfügung steht. Die andere Hälfte erbt Titus mit der Auflage, daß dieses Geld nicht von der Vormundschaftsbehörde, sondern von Rembrandt selbst verwaltet wird. 20 Jahre später werden finanzielle Gründe den Maler zwingen, Saskias Grabstätte in der herrlichen Oudekerk zu verkaufen und ihre sterblichen Überreste in die Westerkerk überführen zu lassen.

1642–1657

Die Frau in der nieder-
ländischen Gesellschaft

☑ Gerard Terborch,
Die Suche nach Läusen,
1653, Amsterdam, Mau-
ritshuis. Die Frau hatte
in der holländischen
Familie in erster Linie
für Ordnung und Sau-
berkeit zu sorgen und
sich um die Kinder zu
kümmern. Dies galt
als sichtbares Zeichen
häuslicher Tugend.

Saskias Tod bedeutet für Rembrandt
nicht nur großes persönliches Leid, es stellen sich auch eine Reihe familiärer Probleme ein. Das Geld zu verdienen ist in der
holländischen Gesellschaft Sache des Ehemannes, doch die ge-
samte Organisation des Haushalts ist die Angelegenheit der Frau.
Sie verwaltet das Geld und sorgt für Sauberkeit. Natürlich
kümmert sie sich auch um den Nachwuchs – und zwar sowohl für
die Familie als auch »für die Nation«, wie aus verschiedenen zeit-
genössischen Abhandlungen über Gesundheit und Haus-
haltsführung hervorgeht. Holländische Frauen haben in
der Regel die Schule besucht und eine angemessene Bildung erhalten, die man allerdings auf bestimmte Werke,
Autoren beziehungsweise »geeignete« Themen beschränkt. Unter den für ein weibliches Publikum verfaßten
Schriften findet sich zum Beispiel ein Handbuch für Erste
Hilfe und die medizinische Versorgung der Familie, ge-
schrieben vom selben Dr. Tulp, der uns schon in Rembrandts Gemälde *Anatomie des
Dr. Nicolaes Tulp* (Seite
40 – 41) begegnet ist.

◀ Jan Vermeer, *Eine
Frau schreibt im Beisein
ihrer Dienerin einen
Brief,* Ausschnitt, um
1670, Dublin, National
Gallery of Ireland.

◀ Pieter de Hooch, *Die Speisekammer*, 1658, Amsterdam, Rijksmuseum. In der kalvinistischen Gesellschaft fiel der Mutter primär die Aufgabe zu, die Kinder zur gewissenhaften Mitarbeit im Haushalt zu erziehen. De Hoochs Gemälde spiegelt diese idealisierte Vorstellung vom geregelten Familienleben wider.

☑ Jan Miense Molenaer, *Die Cembalospielerin*, 1635, Amsterdam, Rijksmuseum. Dargestellt ist vermutlich Molenaers Ehefrau Judith Leyster, selbst eine hochbegabte Malerin. Judith Leyster gehörte zu den emanzipierten Frauen ihrer Zeit, die sich ihrer Rolle in der Gesellschaft wohl bewußt waren.

▶ Gabriel Metsu, *Das kranke Kind*, um 1660, Amsterdam, Rijksmuseum. Die holländischen Frauen waren bekannt für die zärtliche Zuwendung, die sie ihren Kindern entgegenbrachten. Chronisten berichten immer wieder voll Erstaunen über ihren liebevollen Umgang mit dem Nachwuchs.

Frauen in der Kunst: Judith Leyster

In der niederländischen Malerei des 17. Jahrhunderts begegnet uns eine hochbegabte Künstlerin namens Judith Leyster. Sie hat etwa Rembrandts Alter, ist aber nicht sehr bekannt, weil die meisten ihrer Bilder lange ihrem ersten Lehrer Frans Hals zugeschrieben wurden. 1609 in Haarlem geboren, erhält sie ihre Ausbildung in der Werkstatt von Hals, der als Porträtmaler in hohem Ansehen steht. 1620 zieht Judith Leyster nach Utrecht und lernt dort die Malerei der Utrechter Caravaggisten kennen. Nach ihrer Heirat mit dem Kollegen Molenaer widmet sie sich hauptsächlich der Genremalerei.

79

Frau im Bett

Das um 1649/50 entstandene Bild befindet sich
in der National Gallery of Scotland in Edinburgh.
Womöglich spielt Rembrandt hier auf die biblische Legende der Sarah an, die in der Hoch-
zeitsnacht auf ihren Gemahl Tobias wartet.

◤ Rembrandt, *Ein junges Mädchen am Fenster*, 1645, London, Dulwich Picture Gallery. Werke wie dieses wurden von den Impressionisten sehr bewundert.

◥ Rembrandts Werkstatt, eventuell Samuel van Hoogstraten, *Junge Frau hinter einer Tür*, 1645, Chicago, The Art Institute. Eine weitere Behandlung des Themas.

◤ Nicolaes Maes, *Ein junges Mädchen am Fenster*, um 1655, Amsterdam, Rijksmuseum. Lange Zeit wurde das Gemälde Rembrandt zugeschrieben. Erst vor kurzem hat man es als das Werk eines seiner einfühlsamsten und eigenwilligsten Schüler erkannt.

▷ Rembrandt, *Ein junges Mädchen am Fenster*, 1651, Stockholm, Statens Konstmuseer. Schon früh experimentierte Rembrandt mit breiten und flüchtig aufgetragenen Pinselstrichen, einem Stil, der in seiner letzten Schaffensphase bestimmend wurde.

Titus und Geertghe

Für die Versorgung des kleinen Titus, der mit kaum neun Monaten seine Mutter verloren hat, braucht Rembrandt eine Kinderfrau. Er nimmt die Seeländerin Geertghe Dircx in sein Haus auf, eine stämmige Frau vom Lande. Die Witwe eines Trompeters führt mit Tatkraft und Umsicht den Haushalt. Sie ist zwar Analphabetin und hat ein derbes Wesen, findet sich aber überall zurecht und erfreut sich guter Gesundheit, kurz: sie ist in allem das genaue Gegenteil von Saskia. Bald wird sie die Geliebte des Malers, eine Verbindung, die in Kreisen strenggläubiger Kalvinisten als ausgesprochen skandalös gelten muß. Rembrandt gerät langsam ins Abseits; er ist kein praktizierender Kalvinist und gibt mehr Geld aus, als er verdient, bisweilen auch für sehr extravagante Dinge. Er hält sich exotische Haustiere wie etwa ein Affenweibchen, das in den Augen der Mitmenschen nicht in einen sauberen holländischen Haushalt gehört. Vor allem aber macht er keinen Hehl aus seinem Verhältnis mit Geertghe, das allerdings nicht von Dauer ist. Der Maler verliert dadurch in seinem Heimatland immer mehr Freunde, während ausländische Sammler zunehmend Interesse an seinen Werken zeigen.

◤ Rembrandt, *Geertghe Dircx*, um 1643, lavierte Federzeichnung, London, British Museum. Rembrandt stellt die Amme seines Sohnes Titus als gesunde und robuste Frau vom Lande dar.

▶ Rembrandt, *Hendrickje an einer geöffneten Tür*, 1656–57, Berlin, Staatliche Museen. Nach Saskias Tod ging Rembrandt wechselnde Beziehungen ein. Während er Geertghe das Haus führen ließ, begann er ein Verhältnis mit Hendrickje Stoffels. Das Mädchen stand Modell für dieses Gemälde, das einem Werk von Palma il Vecchio nachempfunden ist.

◄ Rembrandt, *Heilige Familie mit gemaltem Rahmen und Vorhang,* 1646, Kassel, Staatliche Museen, Gemäldegalerie. Einzigartiges Trompe-l'œil: der aufgezogene Vorhang, hinter dem die Figuren erscheinen.

▼ Rembrandt, *Titus an seinem Schreibpult,* 1655, Rotterdam, Museum Boymans-van Beuningen.

▼ Rembrandt, *Studie einer Frau in seeländischer Tracht,* Haarlem, Teylers Museum. Die mit dem Rücken zum Betrachter stehende Frau mag Geertghe sein, der Junge am Tisch wohl Titus.

Die Heilige Familie mit den Engeln

Das 1645 geschaffene Bild befindet sich heute in der Eremitage von Sankt Petersburg. Es gehört zu einer Reihe von Werken, die während Titus' Kinderjahren entstanden und alle der Geburt und Kindheit Jesu gewidmet sind.

◄ Rembrandt, *Die Heilige Familie bei Nacht,* um 1645, Amsterdam, Rijksmuseum. Der ergreifende Realismus der nächtlichen Szenerie geht weit über die traditionelle Bildgestaltung dieses Themas hinaus. Die langen, fast bedrohlich wirkenden Schlagschatten werden von einer nicht definierbaren Lichtquelle hinter der lesenden Mutter erzeugt.

▼ Rembrandt, *Christus und die Ehebrecherin,* 1644, London, National Gallery. Eine kurze, eindrucksvolle Rückkehr zur Feinmalerei der Jugendjahre.

▼ Rembrandt, *Anbetung der Hirten,* 1646, München, Alte Pinakothek. Lebensnaher Realismus prägt diese Interpretation des eher seltenen Themas vom Besuch der Hirten aus dem Lukas-Evangelium. Lediglich das strahlende Licht, das vom Jesuskind auszugehen scheint, betont das Sakrale und Außergewöhnliche des Geschehens.

Neue soziale Strukturen

☑ Rembrandt, *Allegorie auf die Eintracht des Landes,* um 1642, Rotterdam, Museum Boymans-van Beuningen. Das fast monochrome Gemälde ist als vielschichtige Allegorie zu verstehen; sie will begreiflich machen, daß Einheit und Einigkeit der Niederlande notwendig sind, will man in den Wirren des Dreißigjährigen Krieges den Aggressoren standhalten. Das Gemälde dürfte als Vorlage für eine Radierung bestimmt gewesen sein, der Auftrag hatte sich aber offensichtlich zerschlagen.

Nach der denkwürdigen Schlacht von 1639 wird klar, daß die Gefahr einer Rückeroberung der Vereinigten Niederlande durch die Spanier endgültig gebannt ist. Die neue Nation muß sich jedoch weiter um Verbündete bemühen und Beziehungen zu den anderen europäischen Staaten aufbauen. Die innenpolitische Lage ist stabil, nur in Rembrandts Geburtsstadt Leiden kommt es zu sozialen Spannungen. Man ist sich einig über die zu wahrenden Grundwerte: weitgehende Toleranz gegenüber Ausländern und Andersgläubigen, ein starkes Nationalbewußtsein und eine gut funktionierende Gesellschaftsordnung, die für Sicherheit in der Familie, der Stadt und dem Staat sorgt. Diese Einstellung erklärt die ablehnende Haltung gegenüber Randgruppen wie Landstreichern, Zigeunern und dem fahrenden Volk. Im übrigen sucht man sich in immer neuen Zünften und Gemeinschaften zusammenzuschließen. Eine neue Generation von Kaufleuten und Financiers nimmt mehr und mehr die Zügel in die Hand, was sich auch im Kunsthandel bemerkbar macht. Die politische Zentralgewalt liegt beim *Stadhouder,* der in Den Haag fast wie ein Monarch Hof hält.

◤ Govert Flinck, *Die Kompanie des Hauptmanns Albert Bas und des Leutnants Lucas Conijn*, 1645, Amsterdam, Rijksmuseum. Der letzte Auftrag zur Ausstattung des Festsaals der Clovenierschützen, für den auch *Die Nachtwache* (Seite 72–73) bestimmt war, ging an Rembrandts Schüler Govert Flinck.

◤ Rembrandt, *Bildnis des Nicolaes Bruyningh*, 1652, Kassel, Staatliche Museen, Gemäldegalerie. Ein eindrucksvolles Beispiel für den neuen Typus des erfolgreichen und standesbewußten Holländers.

◤ Gerrit Berckheyde, *Ansicht des Den Haager Binnenhofs,* Den Haag, Mauritshuis. Der massige Gebäudekomplex beherbergte den Hof der Oranier und ist noch heute Sitz der niederländischen Regierung.

LEBEN UND WERK

Erste Probleme mit der Justiz: Die Freunde wenden sich ab

Saskia hatte in ihr Testament eine Klausel aufgenommen, wonach Rembrandt bei einer erneuten Heirat die Hälfte seines Erbes verlieren solle. Für den Maler beginnt eine schwere Zeit. Der Geschmack seiner Auftraggeber ändert sich, und seine private Lebensführung gilt bei den strenggläubigen Kalvinisten als höchst unziemlich. Rembrandts Freundeskreis wird zunehmend kleiner; einige Schüler verlassen seine Werkstatt. Nur Jan Six unterstützt den Maler weiterhin. Am 24. Februar 1648 macht Geertghe ihr Testament und setzt Titus als alleinigen Erben ein. In ihrem Besitz befinden sich auch Schmuckstücke, die Saskia gehört haben. Einige Monate später läßt sich nicht mehr verheimlichen, daß Rembrandt ein Verhältnis mit Hendrickje Stoffels hat. Geertghe verklagt ihn daraufhin und behauptet, Rembrandt habe ihr ein Heiratsversprechen gemacht, es jedoch nicht eingelöst. Das Gericht weist die Klage ab, verurteilt Rembrandt aber zur Zahlung von jährlich 200 Gulden Unterhalt an Geertghe. 1649 geht der Maler zum Gegenangriff über und verklagt seinerseits Geertghe, Schmuckstücke von Saskia ins Pfandhaus gebracht zu haben. Das Verfahren wird am 23. Oktober 1649 abgeschlossen. Geertghe kommt in das Gefängnishospital von Gouda, Rembrandt aber muß ihr weiterhin Unterhalt zahlen.

◹ Rembrandt, *Homer rezitiert seine Verse,* 1652, Amsterdam, Six-Stichting. In den schweren Jahren des wirtschaftlichen Niedergangs suchte Rembrandt immer wieder Inspiration bei den Klassikern der Antike, insbesondere bei Homer. Der blinde Dichter kehrt in den Werken der fünfziger Jahre häufig wieder.

◹ Rembrandt, *Schlafende junge Frau,* 1655–56, London, British Museum. Rembrandt machte nie einen Hehl aus der Anziehungskraft, die Frauen auf ihn ausübten.

▷ Rembrandt, *Hendrickje Stoffels,* um 1652, Paris, Musée du Louvre. Die junge Frau trat als Zeugin in dem von Geertghe Dircx angestrengten Prozeß gegen Rembrandt auf.

🔺 Rembrandt, *Bildnis des Jan Six,* 1654, Amsterdam, Six-Stichting. Das Bildnis zählt zu Rembrandts bedeutendsten Werken. Six, der übrigens den ersten Katalog über Rembrandts Radierungen zusammenstellte, war ein großer Kunstliebhaber und besaß eine umfangreiche Sammlung. Rembrandt wählte einen großzügigen Farbauftrag und arbeitete, ähnlich wie Tizian und Frans Hals in ihren Bildnissen, mit teilweise groben Pinselstrichen. Das Gemälde war für Six bestimmt und hat die Sammlung der Familie nie verlassen.

🔻 Rembrandt, *Selbstbildnis mit den Händen an den Hüften,* 1652, Wien, Kunsthistorisches Museum.

Die Danae – ein wiederhergestelltes Meisterwerk

▶ Rembrandt, *Danae*, 1636–54, Sankt Petersburg, Eremitage. Das 1636 in einer von mythologischen Themen geprägten Schaffensperiode begonnene Bild wurde von Rembrandt mehrfach überarbeitet.

Alle Museen dieser Welt sind stolz auf ihre echten Rembrandts. Aufgrund intensiver Nachforschungen im Rahmen des Rembrandt Research Project mußte die Zuschreibung mancher Bilder jedoch revidiert werden. Eine erlesene Sammlung authentischer Werke ist im Besitz der Eremitage von Sankt Petersburg. Viele bemerkenswerte Gemälde gelangten in die Zarenstadt, die einst Peter der Große, ein Bewunderer der holländischen Malerei und Kultur, erbauen ließ; sie sind für das Verständnis von Rembrandts späteren Werken besonders aufschlußreich. Unter ihnen befindet sich auch das eindrucksvolle Bild der Danae. Inspiriert von Tizian, befaßte sich Rembrandt wiederholt mit dem mythologischen Thema. Das Gemälde erlitt allerdings ein beklagenswertes Schicksal: Es wurde von einem Psychopathen stark beschädigt, der ein Fläschchen mit Säure auf die Leinwand warf. Jahrelang galt es als unwiederbringlich ruiniert. Erst im Frühjahr 1998 gelang die Wiederherstellung nach langwierigen Restaurierungsarbeiten, so daß das Gemälde der Öffentlichkeit wieder zugänglich gemacht werden konnte.

▲ Rembrandt, *Der Raub des Ganymed*, 1635, Dresden, Gemäldegalerie. Die amüsante Variante eines Ganymed, der vor Angst sein Wasser nicht halten kann.

◀ Rembrandt, *Die Opferung Isaaks*, 1635, Sankt Petersburg, Eremitage. Mit Rembrandts biblischen und mythologischen Bildern der dreißiger Jahre erreichte die Amsterdamer Historienmalerei wieder internationales Format.

▶ Rembrandt, *Das Bad der Diana und die Geschichten von Aktäon und Kallisto,* 1634, Anholt, Museum Wasserburg. Das mythologische Gemälde vereint drei Episoden aus den *Metamorphosen* des Ovid.

1642–1657

Badende Frau

Das Bildnis galt lange fälschlicherweise als unvollendet. Die unvergleichlich anmutige Studie
entstand 1655 und ist heute im Besitz der National Gallery in London.

DIE HAUPTWERKE

◄ Rembrandt, *Bathseba mit dem Brief König Davids,* 1654, Paris, Musée du Louvre. Verwirrt und ratlos hält Bathseba, Urias Frau, Davids Liebesbotschaft in der Hand. Auch hier saß wahrscheinlich Hendrickje Modell.

▼ Rembrandt, *Andromeda,* um 1629, Den Haag, Mauritshuis. Bereits in diesem frühen Werk zeigt sich Rembrandts Vorliebe, komplexe Historien anhand einer Person zu erzählen.

◄ Cornelis van Haarlem, *Bathseba,* 1594, Amsterdam, Rijksmuseum. Als typisches Beispiel des späten Manierismus bildete dieses Gemälde eine wichtige Vorlage für Rembrandts *Bathseba.*

1642–1657

Der Geschmack ändert sich

Mit dem Westfälischen Frieden findet das Blutvergießen des Dreißigjährigen Krieges endlich ein Ende. Doch die politische Landkarte Europas hat sich verändert. Nach 1651 kommt es zu mehreren Seeschlachten zwischen Holland und England, da beide Länder die Handelswege in der Nordsee kontrollieren wollen. Nach einigen schweren Niederlagen müssen die Holländer ihre Kolonialpolitik revidieren. Sie geben ihre Niederlassungen in Brasilien auf und sichern sich Häfen auf der Seeroute nach Osten. 1652 gründen sie Kapstadt. In den fünfziger Jahren des 17. Jahrhunderts ändern sich auch der Kunstmarkt und die Vorlieben des holländischen Publikums. Die barocke Lust an pompöser Festlichkeit und extravagantem Luxus erobert auch das kalvinistische Holland. Die neue Generation, die den Kampf der Niederlande gegen die Spanier nicht miterlebt hat, verspürt nicht mehr denselben Hang zu Strenge und Genügsamkeit. Die historischen Errungenschaften, der Erfolg der Nation und ihr Wohlstand sollten sich daher auch in der Kunst niederschlagen.

☑ Jan van der Heyden, *Die Martelaarsgracht in Amsterdam,* Amsterdam, Rijksmuseum. Die minuziös ausgeführten Städtebilder von der Heydens fanden viel Anklang.

▲ Das Prunkstilleben von Willem Kalf (Madrid, Sammlung Thyssen-Bornemisza) zeigt kostbare Objekte wie die Schale aus chinesischem Porzellan und den Nautilusbecher.

☑ Jan Steen, *Das Fest des Heiligen Nikolaus,* Amsterdam, Rijksmuseum. Mit Ironie führt uns Jan Steen heitere Episoden aus dem häuslichen Leben vor Augen.

Kinder freuen sich über ihre Weihnachtsgeschenke, das Mädchen ist glücklich über seine Puppe, und der Lausbub weint, weil er leer ausgegangen ist.

◣ Überschwenglichen Luxus führten die zur Mitte des 17. Jahrhunderts aufgekommenen Prunkstilleben den Niederländern vor Augen. Das Gemälde von Abraham van Beyeren befindet sich im Amsterdamer Rijksmuseum.

◀ Gérard de Lairesse, *Kaiser Augustus unterstützt die Kunst,* 1667, Warschau, Muzeum Narodowe. Die Kompositionen von Rembrandts früherem Schüler spiegeln einen neuen, am französischen Klassizismus orientierten Geschmack der niederländischen Sammler wider. Rembrandts Werke aus derselben Zeit stehen dazu in krassem Gegensatz.

95

1642–1657

Stilleben und Landschafts- bilder – Stilrichtungen im Geschmack der Zeit

Seit den Anfängen seiner künstlerischen Laufbahn hat sich Rembrandt immer wieder ganz bewußt der Historienmalerei zugewandt. Er gestaltet Themen aus der Heiligen Schrift, der Mythologie oder der Literatur und schafft dabei Kunstwerke, die sich mit denen großer italienischer Renaissancemeister vergleichen lassen. Zwar nimmt die Porträtkunst, für die er viel Begabung zeigt, einen immer größeren Raum ein, im Grunde aber bevorzugt er die Bildinhalte der »großen« Malerei. In die Kategorie der damals von den flämischen und holländischen Sammlern hochgeschätzten Genrebilder hingegen lassen sich nur wenige Werke einordnen. Es entstehen etwa ein Dutzend »reine« Landschaftsbilder – sie zählen nicht zu den Hauptwerken des Künstlers – und einige wenige Stilleben, darunter so ungewöhnliche Bilder wie der *Geschlachtete Ochse*, womöglich eine Allegorie des Todes. Rembrandt hat sich zweifellos weit vom Zeitgeschmack entfernt und überläßt das Feld arrivierten Fachmalern wie Willem Kalf oder Abraham van Beyeren.

☑ Rembrandt, *Ein Kind mit zwei toten Pfauen,* um 1636/37, Amsterdam, Rijksmuseum. Rembrandt geht mit dem toten Vogel zwar von einem vertrauten Motiv aus der Tradition der Stillebenmalerei aus, stellt es aber in einen erzählerischen Zusammenhang: Die Neugier und zugleich die ängstliche Zurückhaltung des Kindes bereichern die Szene.

◩ Jan Baptist Weenix, *Das tote Rebhuhn,* um 1657, Den Haag, Mauritshuis. Die holländischen Stilleben zeigen häufig virtuose Trompel'œils, die die Wirklichkeit täuschend ähnlich wiedergeben.

◄ Rembrandt, *Landschaft mit Steinbrücke,* um 1638, Amsterdam, Rijksmuseum. Eines der schönsten Landschaftsgemälde Rembrandts. Nicht minder bedeutend sind seine zahlreichen Landschaftszeichnungen und -radierungen, die spontaner und unmittelbarer wirken.

▼ Rembrandt, *Selbstbildnis mit einer toten Rohrdommel,* 1639, Dresden, Gemäldegalerie. Bis heute ist nicht eindeutig geklärt, was Rembrandt mit diesem Selbstbildnis ausdrücken wollte.

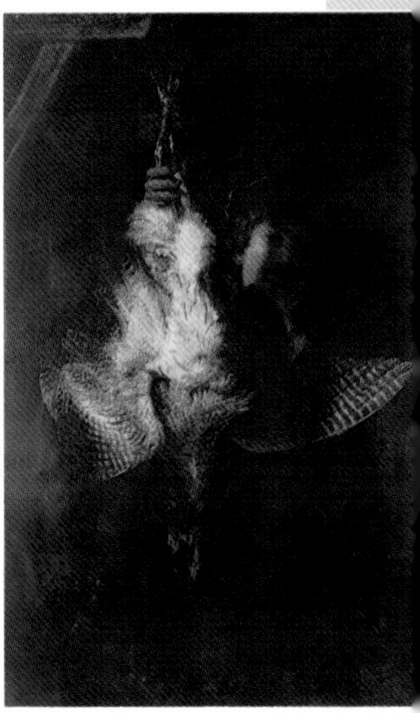

◄ Rembrandt, *Geschlachteter Ochse,* 1655, Paris, Musée du Louvre. Die Idee zu diesem außergewöhnlichen Gemälde kam Rembrandt, als er einige Schlachter bei der Arbeit beobachtete. Das Motiv wurde bis in unser Jahrhundert hinein aufgegriffen, so zum Beispiel von Picasso und Bacon.

HISTORISCHER KONTEXT

Vermeer van Delft – ein aufstrebender Maler und seine Stadt

Mitte des 17. Jahrhunderts beginnt die Laufbahn eines genialen Künstlers: Jan Vermeer. Oft fügt man seinem Namen die Heimatstadt Delft hinzu, um Verwechslungen zu vermeiden. Vermeer gilt heute mit Recht als einer der ausdrucksstärksten Meister des 17. Jahrhunderts. Zu Lebzeiten jedoch war er wenig bekannt, und nach seinem Tod geriet er vollends in Vergessenheit. Nur wenige Bilder stammen nachweislich von seiner Hand, sie lassen aber ohne jeden Zweifel erkennen, daß er der Kunst eine neue Richtung gegeben hat. Vermeer folgt zwar der Tradition und dem Geschmack der Holländer, aber er beschränkt sich nicht auf eine liebevolle Darstellung der Menschen seiner Zeit. Vielmehr sucht er nach der inneren Resonanz auf die äußere Wirklichkeit. Mit seinen Städteansichten und Alltagsimpressionen bildet er zwar die Wirklichkeit ab, aber es ist mehr als nur die sichtbare Realität. Hinter den zauberhaft eingefangenen einfachen Tätigkeiten und häuslichen Szenerien steckt immer auch ein tieferer Sinn.

⊵ Jan Vermeer, *Die Milchgießerin*, 1658–60, Amsterdam, Rijksmuseum. Mit diesem Gemälde begann die Wiederentdeckung Vermeers. Nachdem der englische Maler Joshua Reynolds Ende des 18. Jahrhunderts auf das Werk aufmerksam geworden war, ging es durch viele Hände und gehörte zeitweise zur Sammlung der Erben von Jan Six. Die Figur der robusten Milchgießerin wurde sozusagen zum Symbol für das Holland des 17. Jahrhunderts: blühend, genügsam und gesund an Leib und Seele.

⊻ Jan Vermeer, *Paar bei einem Glas Wein*, 1655–60, Berlin, Staatliche Museen. Das unverfängliche, keusche Miteinander trügt: Ein bis zur Neige geleertes Glas Wein wurde gern als Metapher für sexuelle Bereitwilligkeit verwendet.

◣ Jan Vermeer, *Der Soldat und das lachende Mädchen*, 1655–60, New York, Frick Collection. Durch die extreme Nahsicht wird beim Betrachter die Illusion erzeugt, als sei er selbst im Raum gegenwärtig.

☑ Jan Vermeer, *Am Tisch eingeschlafenes Mädchen,* um 1657, New York, Metropolitan Museum of Art. Die meisten Gemälde Vermeers strahlen eine friedliche, behagliche Atmosphäre aus. Der Betrachter ist fast geneigt, auf Zehenspitzen zu gehen, um den Schlaf des Mädchens nicht zu stören.

☑ Jan Vermeer, *Ansicht von Delft,* 1660–61, Den Haag, Mauritshuis. Marcel Proust schrieb über dieses Gemälde eine überschwengliche Lobeshymne. Sein Enthusiasmus ist beispielhaft für die Anerkennung, die Vermeer ab Ende des 19. Jahrhunderts zuteil wurde. Indirekt hat der Erfolg der Impressionisten mit zur Wiederentdeckung des Delfter Meisters beigetragen.

Italienische Sammler

In den fünfziger Jahren des 17. Jahrhunderts hat Rembrandt große Schwierigkeiten, in den Niederlanden Käufer für seine Werke zu finden. In krassem Gegensatz dazu steht das Interesse, das er bei Gelehrten und Kunstsammlern im übrigen Europa erregt. Vor allem der sizilianische Adelige Antonio Ruffo bewundert den Amsterdamer Meister und kauft ihm nicht nur etwa 200 Radierungen ab, sondern auch einige Gemälde. Für das erste, *Aristoteles mit der Büste Homers* (Seite 102), zahlt der begeisterte Italiener ein Vielfaches dessen, was einheimische Maler ihm berechnet hätten. Den zunächst unvollendeten *Homer* schickt er an Rembrandt zurück und bittet ihn um Fertigstellung. Es folgt *Alexander der Große*, ein Werk, das einen Streit auslöst: Ruffo beklagt sich darüber, daß die Anstückungen der Leinwand nur nachlässig miteinander verbunden seien. Daraufhin erklärt Rembrandt sich bereit, das Bild zurückzunehmen und ein neues zu erstellen – gegen einen erheblichen Aufpreis.

◩ Rembrandt, *Homer,* 1663, Den Haag, Mauritshuis. Fragment einer größeren Komposition, die bei einem Brand teilweise zerstört wurde.

▼ Rembrandt, *Homer diktiert einem Schreiber,* um 1660, Stockholm, Statens Konstmuseer. Die Zeichnung ist eine Variante des Den Haager *Homer*. Antonio Ruffo hatte drei Bilder bestellt, die eine Art Triptychon bilden sollten: Aristoteles steht für die Philosophie, Homer für die Poesie und Alexander der Große für das tätige Leben.

◄ Rembrandt, *Alexander der Große*, 1655, Glasgow, City Art Gallery. Mit großer Wahrscheinlichkeit handelt es sich hierbei um das Gemälde, das Rembrandt Antonio Ruffo geschickt hatte. Eine Replik befindet sich in der Fundaçao Gulbenkian in Lissabon.

☑ Rembrandt, *Selbstbildnis mit Kette und Anhänger*, 1668, Florenz, Galleria degli Uffizi. Cosimo III. de' Medici erwarb das Bildnis nach einer Hollandreise, auf der er den Meister kennengelernt hatte, für die Uffizien.

► Rembrandts Werkstatt, *Bildnis Rembrandts mit Halsberge*, 1634, Florenz, Galleria degli Uffizi. Vermutlich handelt es sich hierbei um eine unter Rembrandts Anleitung entstandene Werkstattarbeit.

Rembrandt in den Uffizien

Rembrandt ist mit drei Werken im Heiligtum der italienischen Renaissancemalerei vertreten: dem Gemälde *Ein alter Mann im Lehnstuhl*, 1661, auch *Alter Rabbiner* genannt, sowie den beiden hier abgebildeten Porträts. Die Medici zeigen starkes Interesse an Rembrandts Kunst – ein deutlicher Hinweis darauf, daß der Meister selbst in Italien geschätzt wird, dem Land, dessen Maler für ihn stets der Maßstab seines eigenen Schaffens gewesen sind. Zunächst tritt der zukünftige Großherzog der Toskana, Cosimo III., als Käufer an ihn heran. Und kurz nach dem Tode Rembrandts erwirbt Leopoldo de' Medici ein Jugendbildnis, von dem allerdings nicht sicher ist, ob es überhaupt von Rembrandt stammt.

1642–1657

Aristoteles mit der Büste Homers

Für das 1653 entstandene Bild, heute im New Yorker Metropolitan Museum of Art, zahlte der Sizilianer Antonio Ruffo 500 Gulden und bestellte bei dem italienischen Maler Guercino sogleich ein dazu passendes Gemälde.

➤ Rembrandt, *David spielt Harfe vor Saul,* um 1656, Den Haag, Mauritshuis. Rembrandt beschränkte sich in seinen Historienbildern oft auf das Format der Halbfigur.

◣ Rembrandt, *Bildnis des Floris Soop als Fahnenträger,* 1654, New York, Metropolitan Museum of Art. Die Porträts dieser Periode gleichen sich in ihrer inneren Haltung. Meist sind prächtig gekleidete, in Gedanken versunkene Personen dargestellt.

▼ Rembrandt, *Moses mit den Gesetzestafeln,* 1659, Berlin, Staatliche Museen. Nach wie vor weiß Rembrandt biblische Begebenheiten allein über eine ausdrucksstarke Personendarstellung zu erzählen.

◣ Rembrandt, *Brustbild eines Mannes mit Halsberge und Goldkette,* um 1631, Chicago, The Art Institute. Die Kleidung und die Kette des *Aristoteles* erinnern an die Charakterköpfe der Jugendzeit, doch die Art des Farbauftrags hat sich grundlegend geändert.

1642–1657

Der Bankrott

C Curateur over den Inſolventen Boedel van Reinbrant van Rijn / hanſtigh Schilder / ſal / als by d' E. E Heeren Commiſſarien der Deſolate Boedelen hier ter Stede daer toe geauthoriſeert / by Executie verkoopen de koſtelyr Papier Kunſt onder den ſelven Boedel als noch beruſtende / beſtaende inde Kunſt van verſcheyden der voornaemſte ſo Italiaenſche / Franſche / Duytſche ende Nederlandtſche Meeſters / ende by den ſelven Rembrant van Rijn met een groote curioſityt te ſamen verſamelt.

Gelijck dan mede een goede partye van Teeckeningen ende Schetſen handen ſelven Rembrant van Rijn ſelfs

De verkopinge ſal weſen ten daeghe / ure ende Jaere als boven / ten huyſe van Barent Janſz Schuurman / Waert in de Keyſers Kroon / inde Kalver ſtraet / daer de verkopinge booz deſen is geweeſt.

Seggt boozt.

◀ Mit diesem Anschlag wurde in Amsterdam die Versteigerung von Rembrandts Hab und Gut im Gasthaus De Keyserkroon bekanntgegeben.

Der Krieg gegen England führt in den Niederlanden zu einer Wirtschaftskrise. Rembrandts Gläubiger drängen immer unerbittlicher auf Rückzahlung der Schulden. 1653 ersucht Rembrandt mehrere seiner Freunde, darunter auch Jan Six, um Unterstützung und bietet ihnen die Kunstwerke in seinem Besitz als Bürgschaft an. Mit Mühe bringt er so die erforderliche Summe auf, um den restlichen Kaufpreis – mit Zinsen noch 8470 Gulden – für sein Haus in der Sint Anthonisbreestraat zu bezahlen. 1654 schenkt Hendrickje einem Mädchen das Leben, und wieder nennt Rembrandt die Tochter Cornelia – seine beiden früh verstorbenen Töchter mit Saskia hießen ebenfalls so. Nachdem Six dem Meister seine finanzielle Unterstützung versagt, befindet sich Rembrandt erneut in größten Schwierigkeiten. Hinzu kommt, daß einige Kunden die bereits erhaltenen Werke ablehnen und ihr Geld zurückverlangen. Rembrandt versucht vergeblich, sein Haus dem Sohn Titus zu überschreiben. Im Juli 1656 nehmen die Behörden das Vermögen des Malers in ein amtliches Inventar auf. Es verzeichnet 363 Objekte, darunter auch Zeichnungen, Radierungen und Gemälde großer italienischer und flämischer Meister. Im September 1656 wird alles für den lächerlichen Betrag von 600 Gulden verkauft. Im Februar 1658 kommt auch das Haus des Malers unter den Hammer, es bringt 11 218 Gulden ein. So endet eines der traurigsten Kapitel im Leben des großen Rembrandt.

▼ Rembrandt, *Clement de Jonghe, Händler für Druckgraphik*, 1651, Radierung. Rembrandt erhoffte sich vom Verkauf seiner Kunstsammlung mehr als er bekam.

▼ Dieses holländische Gemälde gibt einen Eindruck von einer Versteigerung – ein Gewirr von Kunstwerken und anderen Objekten.

◄ Rembrandt, *Vier unter einem Baum sitzende Orientalen,* (Kopie einer indischen Miniatur), um 1656, London, British Museum. Unter den versteigerten Werken befanden sich auch einige kostbare Miniaturen der Mogul-Malerei.

▼ Rembrandt, *Abraham und die Engel,* 1656, Radierung. Rembrandt sammelte nicht nur aus reiner Leidenschaft: Vieles aus seinem Besitz diente ihm als Inspiration für seine eigenen Werke.

▲ Rembrandt, *Selbstbildnis mit hochgeschlagenem Kragen,* 1657, Edinburgh, National Gallery of Scotland. Die künstlerische Kraft Rembrandts konnte auch der Ruin nicht brechen.

► Rembrandt, *Hendrickje Stoffels,* um 1660, New York, Metropolitan Museum of Art. Auch in schweren Zeiten erwies sich Hendrickje als verläßliche Lebensgefährtin.

Der Segen Jakobs

Das 1656 entstandene Bild gehört zu den bedeutendsten Werken der Kasseler Gemäldegalerie. Es zeigt Jakob, der Josephs Sohn Ephraim segnet und ihm damit die Stammvaterrolle des Volkes Israel überträgt.

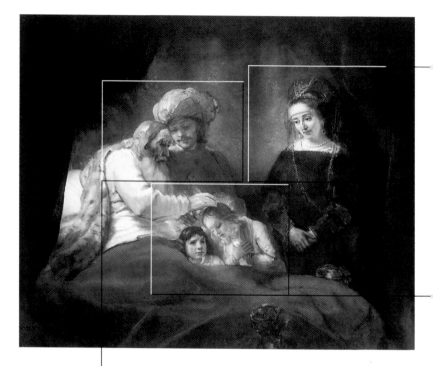

◀ Die zentralen Figuren der Komposition sind der alte Jakob und sein Sohn Joseph. Der greise Patriarch richtet sich mühsam im Bett auf, um seinen Enkelsohn zu segnen und ihm damit die Geschikke der Familie und des Volkes Israel anzuvertrauen. Joseph wundert sich, daß Ephraim und nicht Manasse, der Erstgeborene, auserwählt wurde.

◄ Rembrandt war bekannt für die getreue Wiedergabe biblischer Inhalte. Hier aber weicht er von seinem ehernen Grundsatz ab und fügt eine Figur hinzu, die nicht im biblischen Text vorkommt, für die Ausgewogenheit der Komposition aber sehr wichtig ist: Josephs Frau Aseneth, die der Szene etwas abseits stehend beiwohnt.

► Die Hand Jakobs berührt das blonde Lockenhaupt Ephraims, der in demütiger Haltung verharrt. Neben ihm sein älterer Bruder, der dunkelhaarige Manasse, der eigentlich den Segen erwartet, die Tragweite des Geschehens aber noch nicht wissen kann.

◄ Rembrandt, *Bildnis eines Mannes im pelzgefütterten Rock*, 1654–56, Boston, Museum of Fine Arts. Rembrandts Porträts aus dieser Zeit ähneln stilistisch seinen Historienbildern. Die überaus malerische Technik mit breiten, farbintensiven Pinselstrichen und weicher Modellierung erinnert an den späten Tizian, dem sich der Meister immer stärker annäherte.

107

Ein einsamer Mann und die Malerei

Titus, die große Hoffnung

Seinem Sohn Titus steht Rembrandt sehr nahe. Zwar hat der Maler auch eine Tochter von Hendrickje Stoffels, Titus aber weckt in ihm süße und quälende Erinnerungen an Saskia, die nur wenige Monate nach seiner Geburt gestorben war. Rembrandt ist ein liebevoller Vater und hat Freude an dem sensiblen, intelligenten Kind. Mit seinem feinen blonden Haar und dem schmalen Gesicht wirkt der Junge zerbrechlich und anfällig – ein Eindruck, den sein früher Tod auf dramatische Weise bestätigen wird. Die Porträts, die Rembrandt von Titus malt, sind von außerordentlicher Schönheit. Titus dürfte Rembrandt in den dunkelsten Jahren seines Lebens immer wieder neuen Mut gegeben haben. Und auch materiell erweist er sich als hilfreich: Rembrandt überschreibt ihm den Rest seines Besitzes, um mittellos dazustehen und so seinen Gläubigern zu entgehen. In Rembrandts Malerei nimmt Titus den Platz von Saskia ein und inspiriert den Meister zu großartigen Werken.

▼ Rembrandt, *Titus als Heiliger Franziskus*, um 1660, Amsterdam, Rijksmuseum. Titus fühlte sich in jungen Jahren sicherlich nicht zum Mönch berufen. In unterschiedlichen Kostümen Modell zu stehen war für ihn Atelieralltag.

◄ Rembrandt (und Werkstatt?), *Bildnis von Titus mit Kappe*, um 1660, Paris, Musée du Louvre. Wie die anderen Familienmitglieder Rembrandts – die Mutter, Saskia, die Schwester Lijsbeth – stand auch Titus immer wieder nicht nur seinem Vater, sondern auch Werkstattmitarbeitern Modell. Die romantisierende Interpretation, alle Werke mit Verwandten dem Meister selbst zuzuschreiben, ist durch jüngere kunstwissenschaftliche Untersuchungen endgültig widerlegt.

◤ Rembrandt, *Bildnis von Titus mit Kette und Anhänger,* um 1658, London, Wallace Collection. Dieses Bildnis des Sohnes erinnert an ein Standesporträt mit offiziellem Repräsentationscharakter.

▼ Rembrandt, *Titus lesend,* um 1658, Wien, Kunsthistorisches Museum. Aus einer vermeintlich flüchtigen Beobachtung wird bei Rembrandt eine eindringliche Studie des Lesens und staunenden Begreifens. Eine Hommage an die Malerei und an den geliebten Sohn Titus.

111

Frans Hals und seine Gruppenbildnisse

☑ Frans Hals, *Der fröhliche Trinker,* um 1635, Amsterdam, Rijksmuseum. Mit der linken Hand streckt der Mann dem Betrachter ein Glas Weißwein entgegen und fordert ihn auf, mit ihm anzustoßen. Der Darstellung liegt vermutlich eine moralische Bedeutung zugrunde, die das ausschweifende Leben verurteilt.

Einer der bedeutendsten und zugleich typischsten Vertreter der niederländischen Malerei des 17. Jahrhunderts ist eigentlich Flame: Frans Hals verbringt zwar die meiste Zeit seines Lebens in Haarlem, ist jedoch um 1580 in Antwerpen zur Welt gekommen. Erst mit über dreißig Jahren nimmt seine künstlerische Karriere ihren Anfang. Hals gehört bald zu den erfolgreichsten Porträtisten seiner Zeit. Perfekt beherrscht er die unterschiedlichen Gattungen von Charakterstudien, herrschaftlichen Standesporträts und Ehepaarbildnissen und setzt zusammen mit Rembrandt neue Maßstäbe auf dem Gebiet des handlungsreichen Gruppenporträts. Mit flüchtigem, locker aufgetragenem Pinselduktus erreicht er eine äußerst lebendige Wiedergabe der Person. Seine spontan wirkende, aber wohlüberlegt zwischen abstrahierender und wirklichkeitsnaher Darstellung variierende Malerei wird zum Vorbild für die Impressionisten des 19. Jahrhunderts. Frans Hals stirbt 1666 in Haarlem, wo sich heute auch in dem nach ihm benannten Museum seine wichtigsten Werke befinden.

▷ Frans Hals, *Offiziere und Unteroffiziere der Georgsschützen,* 1639, Haarlem, Frans-Hals-Museum. Der Maler schuf immer wieder neue Varianten des Gruppenbildnisses. In diesem Gemälde betont er die Rangordnung der Personen durch Staffelung in die Bildtiefe.

◣ Frans Hals, *Hochzeitsbild,* (Frans Massa und Beatrice van der Laen), 1622, Amsterdam, Rijksmuseum. In der Darstellung des glücklichen Hochzeitspaares befreit sich Hals von den Zwängen der Tradition und versetzt das Paar ins Freie. Im Hintergrund Versatzstücke einer klassizistisch anmutenden Landschaft.

◣ Frans Hals, *Die Offiziere der Sankt-Adrian-Bürgerwehr in Haarlem,* 1627, Haarlem, Frans-Hals-Museum. Abwechslungsreiche Vielfalt im Gestenrepertoire der Personen und üppige Farbenpracht kennzeichnen Frans Hals' frühe Gruppenbildnisse.

◤ Frans Hals, *Die Vorsteher des Elisabeth-Hospitals,* 1641, Haarlem, Frans-Hals-Museum. In den späteren Werken präsentieren sich die Figuren ernster und meist schwarz gekleidet.

Die Vorsteher der Tuchmachergilde

1662 scheint Rembrandt in Amsterdam wieder Auftraggeber zu finden. Er erstellt ein Gruppenbildnis von Mitgliedern der Tuchmachergilde, die über ein Buch mit Stoffmustern diskutieren (Amsterdam, Rijksmuseum).

▶ Rembrandt, *Drei Vorsteher der Tuchmachergilde,* Berlin, Kupferstichkabinett. Schon von den ersten Entwürfen an war das Gespräch um die Stoffmuster das Herzstück der Komposition, wie diese Studie zeigt.

◄ Rembrandt, *Ein Vorsteher der Tuchmachergilde*, Amsterdam, Rijksmuseum. Rembrandt fertigte zunächst Zeichnungen der einzelnen Kommissionsmitglieder an, die er dann zu einer in sich geschlossenen Komposition zusammenfügte.

► Rembrandt, *Ein Vorsteher der Tuchmachergilde, stehend,* Rotterdam, Museum Boymans-van Beuningen. Die Zeichnung zeigt eine Figur, die sich gerade erhoben hat. Im Gemälde ist sie noch in der Bewegung begriffen und wendet ihren Blick einem imaginären Betrachter zu – ein brillanter Kunstgriff, um die Szene lebendiger zu gestalten. Rembrandt verließ damit das festgefahrene Schema herkömmlicher Gruppenbildnisse.

► Ferdinand Bol, *Die Vorsteher des Leprakrankenhauses von Amsterdam,* 1649, Amsterdam, Rijksmuseum. Bol war einer der besten Schüler Rembrandts. Der Vergleich zeigt aber, daß er sich nicht mit seinem vor Ideenreichtum sprühenden Meister messen konnte.

1658–1669

Das Neue Rathaus von Amsterdam

Der Dam ist der zentrale Platz der Amsterdamer Altstadt. Er öffnet sich inmitten eines dichten Netzes von Straßen und Kanälen und gibt den Blick frei auf eines der bedeutendsten Bauwerke der Stadt: den Königlichen Pallast. Diese Bezeichnung und auch die Funktion als Sitz der Krone stammen aus neuerer Zeit, ursprünglich war das monumentale Bauwerk das Amsterdamer Rathaus. Es gilt als Hauptwerk der holländischen Baukunst um die Mitte des 17. Jahrhunderts. Nach einem Brand, der das alte Gebäude 1652 völlig zerstört hatte, wird das Neue Rathaus nach Plänen des Architekten Jacob van Campen an derselben Stelle errichtet. Unverkennbar ist der Einfluß großer Vorbilder aus Klassizismus und Renaissance. Die Innenausstattung des Neuen Rathauses wird für die niederländischen Maler zu einer der interessantesten Aufgaben. Rembrandt wird zunächst nicht berücksichtigt – Govert Flinck erhält den Auftrag für die wichtigsten Gemälde. Erst nach dessen Tod 1660 erteilt die Stadt Rembrandt den Auftrag für ein Monumentalgemälde, den *Schwur des Claudius Civilis*, daß die Verschwörung der Bataver, der Vorfahren der Holländer, gegen die römischen Invasoren zum Thema hat. Es findet jedoch keinen Anklang und wird später von Rembrandt selbst verkleinert.

▼ Rembrandt, *Die Ruinen des Alten Rathauses nach der Feuersbrunst vom 7. Juli 1652,* 1652, Amsterdam, Rembrandthaus.

▲ Der Baumeister Jacob van Campen, Zeichnung nach einem verschollenen Gemälde von Frans Hals.

◀ Jan van der Heyden, *Der Dam von Amsterdam,* Amsterdam, Historisch Museum. Der Platz ist noch immer das Herzstück der Stadt. Hinter dem Neuen Rathaus erkennt man Querhaus und Apsis der gotischen Nieuwe Kerk, die heute als Ausstellungshalle dient. Das großartige Gemälde hebt das Monumentale und die klaren Linien dieses Meisterwerks klassischer Baukunst hervor, das zum Teil von Andrea Palladios Bauten aus dem 16. Jahrhundert beeinflußt ist. Palladio war durch van Campen in Holland bekannt geworden.

HISTORISCHER KONTEXT

▼ Pieter Saenredam, *Das Alte Rathaus von Amsterdam,* Ausschnitt, 1641–57, Amsterdam, Rijksmuseum. Wie aus einer Inschrift hervorgeht, wurde das Gemälde 1641 entworfen und erst sehr viel später zur Dokumentation des bereits zerstörten Gebäudes ausgearbeitet.

▶ Jan van der Heyden, *Das Neue Rathaus von Amsterdam*, Paris, Musée du Louvre. Das Gemälde wurde leider auf der linken Seite beschnitten und hat somit seine kompositorische Ausgewogenheit verloren. Nicht das Rathaus sondern die Kirche steht nun im Mittelpunkt.

1658–1669

Der Schwur des Claudius Civilis

Das 1661 für das Neue Rathaus in Amsterdam geschaffene Werk hat eine wechselvolle Geschichte erfahren. Nur das Mittelstück der Komposition ist erhalten; es befindet sich heute in Stockholm, Statens Konstmuseer.

➤ Rembrandt, *Ahasver und Haman beim Mahl der Esther,* 1660, Moskau, Puschkin-Museum. Die meisten Szenen mit Figuren um einen Tisch herum rufen Leonardos *Abendmahl* in Erinnerung. Bei aller Freiheit in Ausdruck und Gestaltung kommt Rembrandt doch immer wieder auf die großen Vorbilder der Renaissance zurück.

▲ Rembrandt, *Die Verleugnung Petri,* um 1660, Amsterdam, Rijksmuseum. Wie beim *Schwur des Claudius Civilis* nutzt Rembrandt meisterlich die nächtliche Stimmung, um der Szene Dramatik zu verleihen. Hier fallen erneut die unverhältnismäßig großen Hände der Figuren auf – ein Stilmittel, das Rembrandt oft verwendete, um die Gestik zu unterstreichen.

▶ Rembrandt, *Vorstudie für den Schwur des Claudius Civilis,* 1661, München, Graphische Sammlung. Die Szene, die vor einer großartigen architektonischen Kulisse spielen sollte, zeigt die Führer der Bataver, die sich während eines Mahles verschwören, sich von der römischen Knechtschaft zu befreien.

Die Rückbesinnung auf Tizian

Ein neuer Schicksalsschlag trifft Rembrandt 1663. Hendrickje Stoffels stirbt. Sie ist die letzte Gefährtin auf seinem Lebensweg und wird im Testament als »Ehefrau« des Malers bezeichnet. Rembrandt lebt seit einigen Jahren in einem bescheidenen Haus an der Rosengracht. Um lästigen Auseinandersetzungen mit Staat und Gläubigern aus dem Wege zu gehen, hat er sich als mittellos registrieren lassen und erklärt, finanziell von Hendrickje und Sohn Titus abhängig zu sein, die ihm Kost und Logis gewähren und als Gegenleistung alle Rechte an seinen Bildern erhalten sollen. Für Rembrandts Werke werden wieder höhere Preise erzielt, was nicht zuletzt auf die Anerkennung von Gönnern aus dem Ausland zurückzuführen ist. Sie übernehmen sogar die Verpflichtungen, die der Maler gegenüber dem holländischen Staat zu erfüllen hat. Dennoch bleibt er arm – so arm, daß er sogar Saskias Grabstätte verkaufen muß. Künstlerisch orientiert er sich in dieser Zeit immer mehr an Tizian.

▼ Rembrandt, *Hendrickje als Flora*, 1657, New York, Metropolitan Museum of Art. Tizians Vorbild wurde wie schon bei den Bildnissen Saskias als Flora auch in diesem Gemälde deutlich.

▲ Rembrandt, *Der Selbstmord der Lucretia*, 1666, Minneapolis, Institute of Arts. Das Modell war eine Schauspielerin, doch zeugt das Gemälde wohl vom Gedenken an Hendrickjes Tod.

◣ Rembrandt, *Juno*, um 1665, Los Angeles, Armand Hammer Collection. Das Bild entstand in sehr kurzer Zeit für den Sammler Harmen Becker.

▼ Rembrandt, *Reiterbildnis des Frederick Rihel*, 1663, London, National Gallery. Ein Bildnis in Tizians Manier.

▼ Tizian, *Flora*, 1516, Florenz, Galleria degli Uffizi. Das zarte, sinnliche Gemälde ist die Vorlage für Rembrandts Flora-Darstellungen. Auch in anderen Werken nahm der Niederländer Tizian zum Vorbild.

Tizian und das »non finito«

Die stilistische Ähnlichkeit zwischen Rembrandt und Tizian verstärkt sich in den letzten Schaffensjahren des Amsterdamer Meisters. Systematisch übernimmt Rembrandt etwa Tizians besondere Art des Farbauftrags: das »non finito« (»Unvollendete«). Die späten Werke der beiden Maler wirken unvollendet, wie Entwürfe. Dennoch handelt es sich aber um abgeschlossene, absichtlich nicht »überarbeitete« Gemälde mit kompakten, farbintensiven Pinselstrichen. Ein Zeitgenosse weiß zu berichten, daß ein Porträt von Rembrandt »soviel Farbe enthalte, daß man sie noch riechen könne«.

DIE HAUPTWERKE

Die Judenbraut

Das 1667 entstandene Gemälde (Amsterdam, Rijksmuseum) ist ein Meisterstück über zärtliche Zuneigung. Ob die Heirat eines jüdischen Dichters dargestellt ist oder das biblische Paar Isaak und Rebekka, ist ungewiß.

◄ Das in der *Judenbraut* vermittelte Gefühl inniger Zuwendung kommt auch in Rembrandts zur gleichen Zeit entstandenen *Familienbildnis* (Braunschweig, Herzog Anton Ulrich-Museum) zum Ausdruck. In der Art der Farbverwendung besteht auffallende Ähnlichkeit.

▲ Rembrandt, *Haman sieht sein Ende nahen,* um 1665, Sankt Petersburg, Eremitage. Auch dieses zeitgleich mit der *Judenbraut* entstandene Bild zeigt den Wandel in Rembrandts Spätwerk. Anders als in seinen frühen Gemälden sind Stimmungen und Gefühle verhaltener, aber nicht weniger eindringlich wiedergegeben. Die spektakuläre Theatralik weicht der Verinnerlichung.

▶ Rembrandt, *Jakob ringt mit dem Engel,* um 1660, Berlin, Staatliche Museen. Die dramatische Zuspitzung des Kampfes ist nur angedeutet, der Ausgang jedoch offensichtlich: Jakob unterliegt und empfängt den Segen.

Die Schüler

In Rembrandts Atelier tummeln sich Schüler, Gesellen, Hilfskräfte und zahlende Gäste. Stets ist der Meister umgeben von einer kleinen Schar wißbegieriger Maler, denen er – ganz im Gegensatz zu anderen Lehrern seiner Zunft – viel Zeit und Aufmerksamkeit widmet. Selbst als er dem wirtschaftlichen Ruin entgegensteuert, weiht er angehende Kollegen weiter in die Geheimnisse der Kunst ein. Sein didaktischer Erfolg erweist sich im nachhinein als problematisch: Viele Schüler imitieren später ihren Lehrer, so daß es Schwierigkeiten bei der Zuweisung einzelner Werke gibt. Nur wenige Rembrandt-Schüler entwickeln eine eigene, unverwechselbare Handschrift. Der Kunsthandel tut über Jahrhunderte hinweg ein übriges: Gemälde, Kopien, Repliken und Entwürfe anderer Künstler werden mit Hilfe von Unterschriften und Signaturen als Originale Rembrandts ausgewiesen. Dank einer gemeinsamen Initiative einiger bedeutender Museen wurde in jüngerer Zeit das Rembrandt Research Project ins Leben gerufen, in dessen Rahmen eine internationale Riege von Experten Nachforschungen anstellt, die eine korrekte Zuweisung der Rembrandt-Bilder ermöglichen soll.

☑ Rembrandt-Schule, *Der Mann mit dem Goldhelm,* Berlin, Staatliche Museen. Die bislang aufsehenerregendste Erkenntnis des Rembrandt Research Project war die »Deklassierung« dieses Gemäldes, das lange als eigenhändig galt und heute einem unbekannten Schüler Rembrandts zugeschrieben wird.

◄ Rembrandt, *Gérard de Lairesse,* 1655, New York, Metropolitan Museum of Art. Der durch eine Mißbildung entstellte de Lairesse war nicht nur Maler, sondern auch ein bekannter Kunsttheoretiker. Zunächst eiferte er Rembrandt nach und leitete später den Klassizismus in der holländischen Malerei ein.

■ Nebenstehend: Nicolaes Maes, *Jacob Trip,* 1659–60, Den Haag, Mauritshuis. Darunter: Rembrandt, *Jacob Trip,* 1661, London, National Gallery. Sehr aufschlußreich ist ein Vergleich zwischen diesen beiden Werken, die dieselbe Person darstellen. Der Schüler ist präzise, analytisch, beschreibt mit großer Genauigkeit Physiognomie und soziale Stellung des Mannes. Rembrandt hingegen geht entschieden über das Äußere hinaus. Er verleiht Trip die hohe Würde einer biblischen Gestalt, und wechselt somit vom Zeitgeschehen zur Historie.

◿ Ferdinand Bol, *Die Vorsteher des Leprakrankenhauses von Amsterdam,* Ausschnitt, 1649, Amsterdam, Rijksmuseum. Die Werke Bols, eines der einfühlsamsten Schüler Rembrandts, werden oft mit denen des Meisters verwechselt.

Das Ende einer Familie

Titus erreicht wichtige Stationen seines jungen Lebens. Als er volljährig ist, hat er endlich Zugang zu seinem Anteil am mütterlichen Erbe. Am 10. Februar 1668 heiratet er Magdalena van Loo, die Nichte von Saskias Schwester. Bald nach der Hochzeit erreicht den alternden Rembrandt die freudige Nachricht, daß das junge Paar Nachwuchs erwartet. In den ersten Monaten des Jahres 1668 lebt Rembrandt in einem wahren Taumel der Gefühle. Die Verbindung seines Sohnes ruft in ihm die Erinnerung an Saskia wach. Dann bricht im September das Unglück herein. Titus stirbt, und Rembrandt versinkt in abgrundtiefe Einsamkeit. In dem ärmlichen Haus an der Rosengracht bleibt er allein mit seiner Tochter Cornelia, der Hendrickje 15 Jahre zuvor das Leben geschenkt hat. Der Maler ist müde, nur widerwillig ernährt er sich von etwas Brot, Käse oder einem Hering. Mit Tränen in den Augen nimmt er am 22. März 1668 an der Taufe seiner Enkelin teil, die Tizia genannt wird. Das kleine Mädchen hat kein Glück: Schon ohne Vater geboren, verliert es auch bald seine Mutter. In seiner tiefen Qual sucht Rembrandt Trost in der Malerei.

◪ Rembrandt, *Bildnis einer Frau mit einer Nelke in der Hand,* um 1665, New York, Metropolitan Museum of Art. Die Geste erinnert deutlich an *Saskia als Flora* (Seite 77).

◄ Rembrandt, *Ein Modell in der Werkstatt*, um 1655, Oxford, Ashmolean Museum. Die zur Zeit des Bankrotts entstandene Zeichnung ist wohl als dunkle Vorahnung zu verstehen. Rembrandts Atelier, in dem sich einst die Schüler drängten und zuhauf kostbare Objekte herumstanden, ist nun verwaist.

▼ Rembrandt und Schüler, *Die Darbringung im Tempel*, 1669, Stockholm, Statens Konstmuseer. »Nun läßt Du, Herr, Deinen Knecht in Frieden hingehen«, spricht der fromme Greis Simeon in der Bibel. Das Werk ist Rembrandts letztes Gemälde; einmal mehr spiegelt sich in ihm die Seele des Malers. In den Armen hält der Alte das einzige, was ihm geblieben ist: sein wenige Monate altes Enkelkind.

▼ Rembrandt, *Blick über das Ij von Diemerdijk aus,* Chatsworth, Devonshire Collections. Rembrandt, der in seinen Landschaftsbildern die Dinge aus der Distanz betrachtet, blickt am Ende seiner Tage auf sein Leben zurück. Er steht nicht mehr im Mittelpunkt des Geschehens, sondern hat das andere Ufer erreicht.

1658–1669

Die Heimkehr des verlorenen Sohnes

Das 1668 entstandene Werk befindet sich in der Eremitage von Sankt Petersburg. Rembrandt thematisiert hier die immerwährende Liebe des Vaters zu seinem Kind – wohl eine Anspielung auf den kurz zuvor verstorbenen Titus.

▼ Etwa 30 Jahre vor der Entstehung des großformatigen Gemäldes hatte sich Rembrandt bereits in einer Radierung mit der *Heimkehr des verlore-nen Sohnes* beschäftigt. Diese Komposition vermittelt jedoch nicht dieselbe Intensität und Ergriffenheit, die das Bild von 1668 so einzigartig machen.

◤ Das Gesicht des Vaters trägt nicht Rembrandts Züge. Der alte Mann ist eine Art Urbild des Vaters, der seinen Sohn nie im Stich läßt. Er umschließt den reuigen Heimkehrer mit seinen Armen, umarmt ihn mit physischer und geistiger Kraft und schirmt ihn von einer Außenwelt ab, die weder Hingabe und Zärtlichkeit, noch bedingungslose Liebe kennt.

▼ Das Motiv der Umarmung begegnet uns bereits in Rembrandts Gemälde *Der Abschied von David und Jonathan.* Es entstand 1642, dem Jahr, in dem Saskia starb. Auch dieses Werk befindet sich in der Sankt Petersburger Eremitage.

◤ Die großen Hände des Vaters liegen schützend auf den Schultern des knienden Sohnes, der sich reuevoll in die Obhut des Vaters begibt. Die Wirklichkeit sah jedoch für Rembrandt anders aus: Sein »verlorener Sohn« Titus wird nie mehr zu ihm zurückkommen.

129

Die letzten Selbstbildnisse

Rembrandt ist ein gebrochener Mann; bittere Verzweiflung prägt die Monate vor seinem Tod. Die letzten Seiten im Buch seines Lebens, die letzten Werke seines außergewöhnlichen künstlerischen Schaffens widmet er sich selbst. Nur wenige Persönlichkeiten in der Geschichte der Kunst können sich mit Rembrandt messen, allenfalls Tizian hält einem Vergleich stand. Wie Rembrandt hat auch Tizian erleben müssen, daß sein geliebter Sohn in ein Lazarett eingeliefert wird und dort einer tödlichen Krankheit erliegt. Beide Meister haben Trost in ihrer Arbeit als Maler gesucht: In Rembrandts *Selbstbildnis* von 1665 sind Palette und Pinsel eng mit der Hand verschmolzen, stellen nicht nur Arbeitsutensilien, sondern einen Lebensinhalt dar. Das Leben ist vergänglich, einzig die Kunst bleibt. Rembrandt stirbt 1669, und mit ihm geht eine Epoche, das »Goldene Zeitalter« der Niederlande, zu Ende. Konformismus und Einflüsse der französischen Kunst bemächtigen sich der holländischen Kultur. Rembrandt geht in aller Stille aus dem Leben – sein Ruhm aber bleibt.

◣ Rembrandt, *Selbstbildnis*, 1669, London, National Gallery. Rembrandts vom Alter gezeichnetes Antlitz strahlt immer noch Stolz und Würde aus.

▶ Jan van der Heyden, *Die Westerkerk von Amsterdam*, um 1660, London, National Gallery. Hier wurde Rembrandt am 8. Oktober 1669 bestattet.

◣ Rembrandt, *Letztes Selbstbildnis*, 1669, Den Haag, Mauritshuis. Die Haut wirkt schlaff, der Blick ist kraftlos. Vermutlich handelt es sich hier um Rembrandts letztes Selbstbildnis.

▶ Rembrandt, *Selbstbildnis mit Palette und Pinsel*, um 1665, London, Kenwood House. Die Bedeutung der beiden Kreise hinter der Figur ist nach wie vor umstritten.

☑ Rembrandt, *Selbstbildnis als Demokrit,* 1669, Köln, Wallraf-Richartz-Museum. Mit dieser letzten Pose verabschiedet sich der Maler von uns in der Rolle des lachenden Philosophen aus dem alten Griechenland.

➤ Rembrandt, *Selbstbildnis,* 1629, München, Alte Pinakothek. 40 lange und bewegte Jahre sind vergangen. Aus dem neugierigen und ungestümen Jüngling, der voller Erwartung und Leidenschaft in die Welt blickte, ist nun ein alter, abgeklärter Mann geworden.

Anhang

> Amsterdam,
Rijksmuseum.

Hinweis

Das Verzeichnis enthält die in diesem Buch abgebildeten Werke Rembrandts, geordnet nach den Orten, an denen sie sich heute befinden, und in alphabetischer Reihenfolge.

Amsterdam, Rembrandthaus
Die Ruinen des Alten Rathauses nach der Feuersbrunst vom 7. Juli 1652, S. 116

Amsterdam, Rijksmuseum
Der alte Tobias und seine Frau, S. 12
Die Amstelmündung in Amsterdam, S. 36
Die Anatomie des Dr. Joan Deyman, S. 74–75
Brustbild eines Mannes im orientalischen Kostüm, S. 48
Die Heilige Familie bei Nacht, S. 85
Die Judenbraut, S. 122
Ein Kind mit zwei toten Pfauen, S. 96
Landschaft mit Steinbrücke, S. 96–97
Musizierende Gesellschaft in biblischer Tracht, S. 33

Die Nachtwache (Die Schützen-kompanie des Hauptmanns Frans Banning Cocq), S. 72
Der Prophet Jeremias beklagt die Zerstörung Jerusalems, S. 24
Die Prophetin Hannah, S. 31
Saskia mit Schleier, S. 42
Selbstbildnis, S. 15
Titus als Heiliger Franziskus, S. 110
Die Verleugnung Petri, S. 119
Die Vorsteher der Tuchmachergilde, S. 114
Ein Vorsteher der Tuchmachergilde, S. 115

Amsterdam, Six-Stichting
Bildnis des Jan Six, S. 89
Homer rezitiert seine Verse, S. 88–89

Anholt, Museum Wasserburg
Das Bad der Diana und die Geschichten von Aktäon und Kallisto, S. 91

Basel, Kunstmuseum
David mit dem Haupt Goliaths vor Saul, S. 12

Berlin, Kupferstichkabinett
Das Abendmahl (nach Leonardo da Vinci), S. 70–71
Drei Vorsteher der Tuchmachergilde, S. 114
Saskia, S. 43
Susanna und die Alten, S. 19

Berlin, Staatliche Museen
Bildnis des Cornelis Claesz. Anslo, S. 66
Gleichnis vom törichten Reichen, S. 16
Hendrickje an einer geöffneten Tür, S. 82
Jakob ringt mit dem Engel, S. 123
Moses mit den Gesetzestafeln, S. 103
Der Raub der Proserpina, S. 29
Simson droht seinem Schwiegervater, S. 59
Simson, von Delila verraten, S. 59

Boston, Isabella Stewart Gardner Museum
Christus im Sturm auf dem See Genezareth, S. 37

Boston, Museum of Fine Arts
Bildnis eines Mannes im pelz-gefütterten Rock, S. 107
Der Maler vor der Staffelei, S. 6–7
Der reformierte Pastor Johannes Elison, S. 44

◀ Antoon François Heijligers, *Rembrandt-Saal im Mauritshuis*, 1884, Den Haag, Mauritshuis.

▶ Rembrandt, *Brustbild eines Mannes im orientalischen Kostüm*, 1633, München, Alte Pinakothek.

◀ Rembrandt, *Ein junger Mann, den Kiel einer Schreibfeder spitzend*, 1632, Kassel, Staatliche Museen, Gemäldegalerie.

> Rembrandt, *Selbst-
bildnis mit Schnurrbart*,
1633, Paris, Musée du
Louvre.

☑ Rembrandt, *Bellona*,
1633, New York, Metro-
politan Museum of Art.

> Rembrandt, *Bildnis
des Herman Doomer*,
1640, New York, Metro-
politan Museum of Art.

▶ Gerrit Berckheyde,
Der Spaarne in Haarlem,
um 1670, Amsterdam,
Rijksmuseum.

Hinweis

Die hier aufgeführten Persönlichkeiten – Künstler, Gelehr-
te, Politiker und Geschäfts-
leute – standen auf die eine
oder andere Weise mit Rembrandt oder seinem Werk
in Verbindung. Hinzu kommen
zeitgenössische Maler, Bild-
hauer und Architekten, die
an denselben Orten wie Rembrandt wirkten.

Anslo, Cornelis Claeszoon,
einer der bedeutendsten Prediger Hollands. Rembrandt porträtierte ihn 1641 zusammen mit
seiner Frau. Das Gemälde befindet sich in Berlin. S. 66, 67

Backer, Jakob Adriaenszoon
(Harlingen 1608–Amsterdam
1651), holländischer Porträtist,
der auch Historienbilder und Jagd-
szenen malte. Schüler und Mitarbeiter Rembrandts. S. 70, 138

◀ Jacob Backer,
*Der Engel erscheint
Cornelius, Centurio
in Galiläa,* Milwaukee,
Bader Collection.

Belten, Pieter, zusammen mit
Christoffel Thijssens Eigentümer
des Hauses in der Sint Anthonisbreestraat in Amsterdam, das
Rembrandt 1639 für 13 000 Gulden
erwarb. S. 64

Berckheyde, Gerrit (Haarlem
1638–1698), holländischer Maler.
Er studierte bei seinem Bruder
Job sowie dem Haarlemer Meister
Frans Hals und schuf vorwiegend
Ansichten von Amsterdam, Haar-
lem und Den Haag. S. 87, 138

**Beyeren, Abraham Ken-
drickszoon van** (Den Haag um
1620–Overschie 1690), holländischer Marine- und Stillebenmaler.
Er spezialisierte sich auf Prunkstilleben. S. 95, 96

Bol, Ferdinand (Dordrecht
1616–Amsterdam 1680), holländischer Maler und Graphiker.
Der Schüler Rembrandts hatte
beim Amsterdamer Bürgertum
großen Erfolg mit seinen Bildnissen. S. 115, 125

Bosschaert, Ambrosius
(Antwerpen 1573–Middelburg
1621), holländischer Maler. Er
spezialisierte sich auf üppige
Blumen-Stilleben. S. 9

Campen, Jacob van (Haarlem
1595–Amersfoort 1657), holländischer Architekt. Einer der bedeu-

tendsten Vertreter des holländischen Klassizismus, der von den
Bauwerken des Andrea Palladio
stark beeinflußt wurde. Nach dem
Brand von 1652 baute er das Amsterdamer Rathaus wieder auf.
S. 116, 117

Caravaggio, eigentlich
Michelangelo Merisi (Mailand?
1571–Port'Ercole 1610), italienischer Maler. Charakteristisch
für sein Werk sind die starken Ge-
gensätze von Licht und Dunkel,
die den Figuren Raum und Gestalt
geben und ihre religiöse Bedeutung unterstreichen. S. 14, 15, 16,
17, 58

Cocq, Frans Banning,
Hauptmann der Bürgermiliz von
Amsterdam, von Rembrandt
1642 dargestellt in dem berühm-
ten Gemälde *Die Nachtwache.*
S. 70, 72–73

Codde, Pieter Jacobszoon
(Amsterdam um 1599–1678),
holländischer Maler, der durch
seine Interieur- und Genrebilder
bekannt wurde. Vermutlich
Schüler von Frans Hals. S. 69

> Govert Flinck, *Margaretha Tulp*, 1655, Kassel, Staatliche Museen, Gemäldegalerie.

Cornelis van Haarlem (1562–1638), holländischer Maler. Der bedeutende Exponent des späten holländischen Manierismus gilt als Begründer der barocken Strömung des Haarlemer Klassizismus. S. 93

Dircx, Geertghe, sie wurde nach Saskias Tod im Jahr 1642 die Geliebte des Malers. S. 82, 83, 88

Dou, Gerrit (Leiden 1613 bis 1675), holländischer Maler. Er arbeitete von 1628 bis 1630 in Rembrandts Werkstatt. Seine einfühlsamen, kleinformatigen Bilder zeichnen sich durch minuziöse Ausführung aus. S. 26–27

Dürer, Albrecht (Nürnberg 1471–1528), deutscher Maler, Holzschnitt- und Kupferstichmeister, Verfasser mehrerer kunsttheoretischer Schriften. Er war der unumstrittene Protagonist der Renaissancekunst nördlich der Alpen. S. 12, 13, 53

Dyck, Antonis van (Antwerpen 1599–London 1641), flämischer Porträtmaler. Dyck führte die Porträtkunst zu höchster Vollendung. Vor allem seine in Genua entstandenen Bildnisse wurden in ganz Europa bewundert. Der Künstler war Hofmaler Jakob I. von England. S. 143

Fabritius, Barendt (Midden-Beemster 1624–Amsterdam 1673), holländischer Maler. Der Schüler Rembrandts und Bruder Carels schuf Genrebilder, Porträts sowie mythologische und biblische Historiengemälde. S. 63

Fabritius, Carel (Midden-Beemster 1622–Delft 1654), holländischer Maler. Einer der begabtesten Schüler Rembrandts, der von 1641 bis 1643 in der Werkstatt des Meisters arbeitete. S. 50, 63, 139

Flinck, Govert (Cleve 1615 bis Amsterdam 1660), holländischer Maler. Von 1632 bis 1636 machte er eine Lehre in Rembrandts Werkstatt, wo er vorwiegend Bildnisse und religiöse Szenen schuf. Berühmtheit erlangte er als Historienmaler mit großformatigen barocken, allegorischen Gemälden. S. 61, 62, 87, 116, 139

Francken, Frans II (Antwerpen 1581–1642), flämischer Maler. Herausragendes Mitglied einer

berühmten, vom 16. bis zum 17. Jahrhundert wirkenden flämischen Malerfamilie. Der von Rubens Malweise beeinflußte Künstler verbrachte einige Zeit in Rom, wo er mit seinen Genrebildern und mythologischen Gemälden großen Erfolg hatte. S. 56

Friedrich Heinrich von Oranien, Kronprinz des Königreichs der Niederlande und einer der erlauchtesten Auftraggeber Rembrandts. S. 28, 55

Gheyn, Jacob III de (Haarlem um 1596–Den Haag? 1644), holländischer Maler und Graphiker. Vorwiegend bekannt durch seine Werke mythologischen Inhalts. S. 29

Hals, Frans (Antwerpen um 1580–Haarlem 1666), holländischer Maler. Der großartige Porträtist überwand die Konventionen des Manierismus und gab seinen Modellen durch flüchtig lockeren Farbauftrag lebendige Präsenz und Spontaneität in Pose und Ausdruck. S. 39, 69, 79, 89, 112–113, 116, 140

Helst, Bartholomäus van der (Haarlem 1613–Amsterdam 1670), holländischer Maler. Der auf Bildnisse spezialisierte Künstler porträtierte vorwiegend vornehme Amsterdamer Bürger. S. 69, 140

< Carel Fabritius, *Der Distelfink,* 1654, Den Haag, Mauritshuis.

◄ Frans Hals, *Lachen-der Junge,* um 1627, Den Haag, Mauritshuis.

Heyden, Jan van der
(Gorinchem 1637–Amsterdam 1712), holländischer Maler. Auf seinen Reisen schuf er Ansichten vieler europäischer Städte. S. 37, 94, 117, 130

Honthorst, Gerrit van
(Utrecht 1590–1656), holländischer Maler und Graphiker. Charakteristisch für ihn sind eindrucksvolle Szenerien bei Kerzenlicht oder im Schein von Fakkeln, was ihm in Italien den Namen »Gherardo delle Notti« einbrachte. S. 15, 17, 55

Hooch, Pieter de (Rotterdam 1629–nach 1684), holländischer Maler. Nachdem er sich in den ersten Jahren der Genremalerei widmete, schuf er später vorwiegend Interieurbilder. S. 8, 79, 141

Hoogstraten, Samuel van
(Dordrecht 1627–1678), holländischer Maler. Nach der in Rembrandts Werkstatt verbrachten Zeit entfernte er sich von der Malweise des Meisters und spezialisierte sich auf Innenansichten sowie das Porträtfach. S. 81

Houckgeest, Gerard (Den Haag 1600–Bergen op Zoom 1661), holländischer Maler. Bekannt sind seine Architekturbilder und insbesondere seine Ansichten der beiden wichtigsten Kirchen von Delft. S. 9

Huygens, Christiaan (Den Haag 1629–1695), holländischer Physiker, Mathematiker und Astronom. Der Sohn von Constantijn gilt als einer der Begründer der Mechanik und der physikalischen Optik. S. 29

Huygens, Constantijn (Den Haag 1596–1687), holländischer Diplomat. Der Geheimsekretär des Prinzen Friedrich Heinrich von Oranien war ein großer Experte in Sachen Kunst und Wissenschaft und einer der größten Bewunderer Rembrandts. S. 22, 28–29, 32, 36, 44, 52, 56, 58

Huygens, Maurits, Constantijns Bruder wurde von Rembrandt 1632 porträtiert. S. 29

Kalf, Willem (Rotterdam 1619 bis Amsterdam 1693), holländischer Maler. Schuf Prunkstilleben mit Porzellan-, Silber- und Glasgefäßen in kontrastreicher Hell-Dunkel-Tonigkeit. S. 68, 94, 96

Keyser, Thomas de (Amsterdam 1596–1667), holländischer Porträtist. Als führender Amsterdamer Bildnismaler vor Rembrandts Blütezeit schuf er auch zahlreiche Gruppenbildnisse. S. 29

Lairesse, Gérard de (Lüttich 1640–Amsterdam 1711), wallonischer Maler, Graphiker und Kunsttheoretiker. Seine Werke im klassizistischen Stil behandeln vorwiegend historische und mythologische Themen. S. 95, 124

Lastman, Pieter (Amsterdam 1583–1633), holländischer Maler. Sein von Adam Elsheimer, Caravaggio und Annibale Carracci beeinflußtes Werk ist von einem theatralisch-pathetischen Stil geprägt. S. 14, 18–19, 141

Leyster, Judith (Haarlem 1609–1660), holländische Malerin. Die Schülerin von Frans Hals wurde durch ihre Genreszenen und Stilleben berühmt. S. 79, 142

Lievens, Jan (Leiden 1607 bis Amsterdam 1674), holländischer Maler. Seine Jugendwerke waren sehr stark von Rembrandt beeinflußt, mit dem er sich vermutlich von 1624 bis 1631 die Werkstatt in Leiden teilte. Später wurde er von der Hofmalerei van Dycks inspiriert und spezialisierte sich auf Bildnisse vornehmer Persönlichkeiten. S. 14, 22–23, 25, 28, 59, 60

▶ Bartholomäus van der Helst, *Die Kompanie des Hauptmanns Roelof Bicker und des Leutnants Jan Michielsz. Blaeuw.,* 1639, Amsterdam, Rijksmuseum.

> Pieter Lastman,
*Die Verstoßung von
Hagar und Ismael,* 1612,
Hamburg, Kunsthalle.

Loo, Magdalena van, Ehefrau
von Rembrandts Sohn Titus. S. 126

Lucas van Leyden
(Leiden um 1490–1533), hollän-
discher Maler und Kupferstecher.
Das Werk des Künstlers, der vor
allem durch seine graphischen
Arbeiten bekannt ist, verrät den
Einfluß der altniederländischen
Meister und das Studium von
Albrecht Dürers Werken. S. 12, 13

Maes, Nicolaes (Dordrecht
1634–Amsterdam 1693), holländischer Genre- und Bildnismaler.
In seinem Frühwerk deutlich an
Rembrandt orientiert, entwickelt
er sich ab den 60er Jahren zu
einem eigenständigen, erfolgreichen Porträtmaler. S. 81, 125

Man, Cornelis de (Delft 1621
bis 1706), holländischer Maler.
Sein Werk, das stilistisch eng mit
dem Pieter de Hoochs und Jan
Vermeers verbunden ist, umfaßt
Bildnisse, Ansichten von Kirchen
und Interieurszenen. S. 38

Mantegna, Andrea (Isola di
Carturo/Padua 1431–Mantua 1506),
italienischer Maler und Kupferstecher. Einer der bedeutendsten
Meister der italienischen Renaissance, dessen Werke Zeitgenossen
und Künstler der nachfolgenden

Generationen aufgrund der außergewöhnlichen Figurenbildung,
ihrer Plastizität und Farbigkeit ent-
scheidend beeinflußten. S. 53

Medici, Cosimo III. de, Großherzog der Toskana von 1670
bis 1723. Er erwarb Rembrandts
*Selbstbildnis mit Kette und An-
hänger.* S. 101

Medici, Leopoldo de (Florenz
1617–1675), Kardinal. Der große
Kunstliebhaber und -kenner grün-
dete die Sammlung von Selbstbild-
nissen berühmter Maler in den
Uffizien, zu denen auch ein Jugendbildnis von Rembrandt zählt. S. 101

Metsu, Gabriel (Leiden 1629
bis Amsterdam 1667), holländischer Maler. Er schuf Genreszenen sowie allegorische und
religiöse Darstellungen, die
sich durch preziöse Ausführung
und wirkungsvolle Lichtgestal-
tung auszeichnen. S. 79

Molenaer, Jan Miense (Haarlem um 1610–1668), holländischer Maler. Beeinflußt von Frans

Hals und Rembrandt, malte er
kleinformatige Bilder mit Inte-
rieur- und Genreszenen aus dem
Leben des wohlhabenden holländischen Bürgertums. S. 79

Pickenoy, Nicolaes (Amsterdam um 1590–um 1655), holländischer Maler. Ein in Amsterdam
hochgeschätzter Porträtist, der
seine Modelle äußerst wirklich-
keitsgetreu darstellte und Lichteffekte gekonnt einsetzte. S. 68

Remigia, Rembrandts Großmutter mütterlicherseits. S. 10

Renesse, Constantijn van
(Maarsen 1626–Eindhoven
1680), holländischer Maler und
Graphiker. Der Schüler Rembrandts gab seine künstlerische
Laufbahn auf, als er zum Sekretär der Stadt Eindhoven berufen
wurde. S. 61

> Pieter de Hooch, *Das
Landhaus,* um 1665,
Amsterdam, Rijksmuseum.

➤ Jan Steen,
Das Mädchen mit den Austern, um 1660, Den Haag, Mauritshuis.

Rubens, Peter Paul (Siegen 1577–Antwerpen 1640), flämischer Maler. Seine Werke gelten als Inbegriff der flämischen Barockmalerei. Früh gelangte er mit seinen kühnen Kompositionen und seiner kraftvollen Bildsprache zu internationalem Ruhm. Mit Hilfe seines umfangreichen Antwerpener Werkstattbetriebes gelang es Rubens, den vielfältigen Auftragswünschen seiner Käufer nachzukommen. Es entstanden Porträts, Landschaften, Kabinettbilder, aber auch umfangreiche mythologische, historische und sakrale Gemäldezyklen. S. 14, 52

Ruffo, Antonio, sizilianischer Adliger. Sammler von Rembrandts Werken. Er führte einen langjährigen Briefwechsel mit dem Maler. S. 100, 101, 102

Saenredam, Pieter (Assendelft 1597–Haarlem 1665), holländischer Maler. Er schuf vorwiegend Landschaften und spezialisierte sich schließlich auf Architekturbilder, vermutlich unter dem Einfluß von Jacob van Campen. S. 117

Saskia – Siehe Uylenburgh, Saskia van

Six, Jan, einer von Rembrandts besten Freunden. S. 57, 62, 88, 89, 98, 104

Steen, Jan (Leiden 1626–1679), holländischer Maler. Sein Werk umfaßt Bildnisse, Genreszenen sowie religiöse, mythologische und allegorische Sujets. Scharfsinnig schildert er den Alltag des Holländers. S. 8, 95, 142

Stoffels, Hendrickje, Rembrandts Modell und Lebensgefährtin. S. 82, 88, 93, 104, 105, 110, 120, 126

Swanenburgh, Jacob Isaacszoon van (Leiden um 1538–1614), holländischer Maler. Der in der Tradition Boschs stehende Künstler war Rembrandts erster Lehrer. S. 13

Sweerts, Michiel (Brüssel 1624–Goa 1664), flämischer Maler. In seinen Werken verbindet Sweerts Naturalismus mit klassizistischer Komposition. S. 65

Teniers d. J., David (Antwerpen 1610–Brüssel 1690), flämischer Maler und Graphiker. Er malte in erster Linie Genrebilder in der Tradition seines Lehrers Adriaen Brouwer. S. 56

Terborch, Gerard (Zwolle 1617 bis Deventer 1681), holländischer Maler. Unter dem Einfluß der Utrechter Caravaggisten sowie der Gemälde von Frans Hals und Rembrandt schuf er zahlreiche Por-

◄ Judith Leyster, *Serenade,* 1629, Amsterdam, Rijksmuseum.

◄ Rembrandt, *Bildnis eines Mannes an einem Tisch*, 1631, St. Petersburg, Eremitage.

träts, Interieurs und Bilder zeitgeschichtlicher Episoden. S. 15, 78

Terbrugghen, Hendrick (Deventer 1588–Utrecht 1629), holländischer Maler. Der Vertreter der Utrechter Schule war stark beeinflußt von der Kunst Caravaggios, bevorzugte jedoch hellere und leuchtendere Farbtöne. S. 15, 17

Thijssens, Christoffel, zusammen mit Pieter Belten Eigentümer des Hauses in der Sint Anthonisbreestraat in Amsterdam, das Rembrandt 1639 erwarb. S. 64

Tizian, eigentlich Tiziano Vecellio (Pieve di Cadore 1488/90? bis Venedig 1576), italienischer Maler. Der bedeutendste Vertreter der neuen venezianischen Malerei des 16. Jahrhunderts. Hauptmerkmal seines Werks ist die große Ausdruckskraft der Farben, die sich im Spätwerk nahezu entmaterialisiert, vom Gegenstand löst. Rembrandt näherte sich dem Werk seines großen Vorbildes besonders gegen Ende seines Schaffens. S. 41, 71, 77, 89, 90, 107, 120–121, 130

Tulp, Dr. Nicolaes, der holländische Arzt und Bürgermeister

von Amsterdam wurde von Rembrandt 1632 in dem berühmten Gemälde *Anatomie des Dr. Nicolaes Tulp* porträtiert. S. 40–41, 56, 70, 78

Uylenburgh, Hendrijk van, holländischer Kunsthändler. Über den einflußreichen Geschäftspartner lernte Rembrandt seine spätere Frau Saskia kennen. S. 36, 42, 44, 56

Uylenburgh, Saskia van (1612–1642), Rembrandts Ehefrau. Saskias Hochzeit mit dem Maler fand am 22. Juli 1634 statt. S. 30, 34, 42–43, 45, 46, 47, 56, 64, 65, 76–77, 78, 82, 88, 104, 110, 120, 126, 129

Vermeer van Delft, Jan (Delft 1632–1675), holländischer Maler. Vermeers Bilder zählen zum besten, was die holländische Genrekunst des 17. Jahrhunderts hervorgebracht. S. 63, 78, 98–99

Vondel, Joost van den (Köln 1587–Amsterdam 1679), einer der größten niederländischen Dichter des 17. Jahrhunderts. S. 62, 67

Weenix, Jan Baptist (Amsterdam 1621–Utrecht 1660), holländischer Maler. In seinen zahlreichen Landschaftsbildern kehren häufig italienische Motive wieder, wie er sie von seiner Ita-

lienreise mit Nicolaes Berchem kannte. S. 96

Wilhelm von Oranien, genannt der »Schweiger«, Kronprinz des Königreichs der Niederlande. Unter seiner Führung errangen die protestantischen nördlichen Provinzen der Niederlande die Unabhängigkeit von den Südprovinzen, dem späteren Belgien. S. 8, 9

► Antonis van Dyck, *Bildnis des Marcello Durazzo*, 1621, Venedig, Galleria Franchetti, Ca' d'Oro.

Umschlagvorderseite:
Rembrandt, *Die Nachtwache*, Ausschnitt, 1642. Amsterdam, Rijksmuseum.
Rembrandt, *Die Judenbraut*, Ausschnitt, 1667. Amsterdam, Rijksmuseum.

Herausgeber der Reihe:
Stefano Peccatori und Stefano Zuffi

Text des vorliegenden Bandes:
Stefano Zuffi

Abbildungen:
Archivio Electa, Mailand
Alinari, Florenz
Wir bedanken uns bei den Museen und den Bildarchiven, die uns
freundlicherweise das Bildmaterial zur Verfügung gestellt haben.

Das Projekt wurde realisiert mit
La Biblioteca editrice s.r.l., Mailand

Die Deutsche Bibliothek - CIP-Einheitsaufnahme
Zuffi, Stefano:
Rembrandt / [Text des vorliegenden Bd.: Stefano Zuffi.
Aus dem Ital. übers. von Barbara Vaccaro]. - Köln : DuMont, 1999
    (Berühmte Maler auf einen Blick)
    Einheitssacht.: Rembrandt <dt.>
    ISBN 3-7701-4544-5

Aus dem Italienischen übersetzt von Barbara Vaccaro
Fachlektorat: Dr. Ulrich Reißer
Redaktion der deutschsprachigen Ausgabe: Werkstatt Gillhofer, München
Satz der deutschsprachigen Ausgabe: Mihriye Yücel, Werkstatt Gillhofer
Umschlaggestaltung: Groothuis + Malsy, Bremen

Printed and bound in Italy
ISBN 3-7701-4544-5